고전이 꽃피는 독서모임
(네송이의 책수다)

네송이와 함께 고전 여행을 떠나요!

고전이
꽃피는
독서모임

네송이의 책수다

들어가며

책에 진심인 코스모스, 프리지아, 수선화, 수국 네 송이의 꽃들이 모여 12권의 고전과 함께 책수다를 나누게 되었습니다. 〈고전이 꽃피는 독서모임〉은 책을 통해 새로운 시각으로 고전 작품을 이해하고 다가가는 고전 독서 모임을 소개한 도서입니다. 묵직한 고전을 네 송이의 유쾌함과 진솔함으로 쉽고 재미있는 대화 형식으로 전합니다. 고전 도서에 이보다 더 쉽고 가볍게 다가갈 수 있을까요?

혼자 읽기 어려워 아직 고전을 시작하지 못한 분, 고전이 어렵고 지루하다고 생각하는 분, 고전은 우리 생활과 동떨어진 작품이라 여기는 분들을 위해 〈고전이 꽃피는 독서모임〉을 추천합니다. 시대를 넘나들며 사랑받는 고전에 대한 작품 이해와 자신만이 추구하는 가치에 대해 함께 고민하고 나누는 시간을 가져볼 수 있습니다. 여러분 삶의 가치와 통찰력을 배울 수 있는 시간이 되시길 바랍니다.

우리 책수다는 고전 작품을 소개하고, 각자의 독특한 시각으로 해석하며 대화를 나눕니다. 함께 읽고, 생각하며 나누는 과정을 통해 더욱 풍요로운 삶을 만들어 가길 바랍니다.

〈고전이 꽃피는 독서모임〉을 재밌게 즐기는 방법을 소개합니다.

❀ 네 송이와 함께 등장인물과 상황에 몰입하기

❀ 네 송이와 함께 나의 삶의 가치 생각해보기

❀ 네 송이의 재미있는 비하인드 스토리 즐기기

❀ 네 송이의 성향과 MBTI 맞춰보기

❀ 자신의 MBTI 성향에 맞는 고전도서 찾아보기

❀ 고전도서와 함께하면 좋은 소설, 영화, 드라마 따라잡기

❀ 고전에 대한 편견을 내려놓고 책수다와 함께 하기

어렵고 지루하다는 편견을 잠시 내려놓고 네 송이와 함께 떠나는 고전 책수다 여행, 준비되셨나요?

완벽한오늘(김지숙)

질문력 ★★★★★★★
기록력 ★★★★★
유머력 ★★★★

　<완벽한오늘>이라는 동네 책방과 독립출판사를 운영 중이다. 살면서 나 자신을 사랑하는 것이 가장 어려운 일이었다. 책을 읽고 사색하며, 나를 사랑하는 방법을 고민해 왔다. 책방지기, 작가, 강사로, 나 자신과 나의 오늘을 사랑한다면, 당신의 오늘은 이미 완벽하다는 위로와 응원을 전하고 있다. 다양한 주제의 '책수다 독서모임'을 운영 중이고, 진로/취업, MBTI, 퍼스널브랜딩, 타로 등의 분야에서 강사이자 상담사로 활동 중이다. 저서로는 <나를 더 사랑하게 하는 퍼스널브랜딩상담>, <이토록 다정한 독서모임>이 있다.

인스타그램 @jsstory_today
블로그 blog.naver.com/qkddf
이메일 qkddf@naver.com

데이지(권나리)

공감력 ★★★★★★★
전달력 ★★★★
진지력 ★★★★★

　퇴사 후 주체적이고 나다운 삶을 위해 독서를 시작했다. 독서 기록용으로 시작한 <데이지> 북스타그램은 현재 상처받지 않는 인간관계에 대한 정보와 경험을 공유하는 채널로 운영 중이다. 타인에게 맞추기 위해 눈치만 보고 나를 표현하지 못했던 삶에서 벗어나 나를 잃지 않고, 타인과 나 사이의 균형을 잡을 수 있는 메시지를 전하고 있다. 나를 지키는 힘을 기르는 독서모임을 준비 중이다. 저서로는 <이토록 다정한 독서모임>이 있다.

인스타그램 @vigesco_daisy
블로그 blog.naver.com/challenge_mari
이메일 knl312@naver.com

온니성장(최선영)

공감력 ★★★★★★
통찰력 ★★★★★★
이해력 ★★★★★

책임과 역할에 치우친 삶을 끝내고, 나답게 성장하는 삶을 위한 과정에 입문했다. 독서와 글쓰기를 통해 진정한 나다움의 가치를 찾고, 사유를 이어가고 있다. 현재 <온니성장> 북스타그램을 운영 중이며, 탄탄한 작가로 사는 삶을 위해 다양한 글쓰기 챌린지와 수업에 참여하고 있다. 저서로는 <마흔, 엄마가 꿈꾸는 나이>가 있다.

인스타그램 @the_only_growth
블로그 blog.naver.com/sylove09
이메일 kook3516@naver.com

조화연(김태연)

성찰력 ★★★★★
진심력 ★★★★
생동감 ★★★★★★★

학교 도서관 사서로 근무하며 아이들이 성장하는 모습을 관찰할 수 있었고, 사람과 책의 관계를 깊이 이해하게 되었다. 아이들을 홈스쿨링으로 키우며, 책이 인간의 성장에 얼마나 중요한 역할을 하는지 몸소 느꼈다. 이러한 경험들로 얻은 소중한 깨달음을 더해 책을 집필했다. 고전을 읽고, 이야기를 나누던 기쁨을 아이들과 함께하고 싶어 아이들을 위한 독서모임을 준비 중이다. 저서로는 <인생도 처음인데, 엄마도 처음, 아이도 처음입니다>가 있다.

인스타그램 @chowha_yeon_life
블로그 blog.naver.com/luybird
이메일 luybird@naver.com

CONTENT

CONTENT

CONTENT

CONTENT

고전이 꽃피는 독서모임
네송이의 책수다

PART 1

고전 책수다,
왜 시작했을까?

Part 1. 고전 책수다, 왜 시작했을까?

1. 고전의 솔직 리뷰가 궁금한 코스모스

어머니 장례식 다음 날, 여자에게 치근덕거리는 남자는 양아치 아닌가?
40대 가장이 가족을 버리고, 하고 싶은 일만 하면 무책임한 것 아닌가?
수행승이 갑자기 여자에게 빠져 키스를 구걸하다니 미친 것 아닌가?

고전소설은 황당한 캐릭터와 상황투성이다. 고전소설을 읽을 때면 매번 그랬다. 처음엔 '이게 말이 되나?', '이건 안 될 말 아닌가?' 하고 시작한다. 그리고 소설을 다 읽고 난 후 '그럴 수도 있구나', '이렇게 생각할 수도 있구나' 하고 마음이 바뀐다. 고전소설은 이렇게 매번 나쁜 남자처럼 나를 굴복시켰다. 나는 매번 작품 앞에 무릎을 꿇었다.

<달과 6펜스>에서 스트릭랜드는 돈도 잘 벌고, 남들이 부러워할 만한 가정의 40대 가장이었다. 그런데 돌연 가족을 버리고 홀연히 사라진 뒤 이렇게 말한다. "나는 그림을 그려야 하오." 아내와 자식을 책임져야만 할 것 같은 가장이 그림을 그린다며, 직장과 가족들을 모두 내팽개치다니, 말도 안 되는 일이다. 하지만 소설을 다 읽고, 결국 나는 그의 마음에 공감할 수밖에 없었다. 그 시기가 아니면 대체 언제 자아실현을 하겠노라며, 그의 자유로운 삶을 동경하는 마음마저 생겼다.

<이방인>의 뫼르소는 어머니의 장례식 날, 눈물 한 방울 흘리지 않고 장례식을 치르더니, 다음날 바로 마음에 드는 여인에게 치근덕거린다. 그런 그의 행동은 패륜아처럼 느껴졌다. 그는 방관자적인 삶을 살고, 결국은 충동적으로 누군가를 총으로 쏴서 죽이기까지 한다. 하지만, 나는 결국 그에게 동정하는 마음마저 생겼다.

고전소설의 가장 큰 매력은 이것이다. 납득되지 않는 사람과 상황을 결국 작가의 필력으로 이해시켜 버린다는 것이다. 그래서 다른 사람과 함께 이야기 나눠보고 싶었다. 소설을 읽고 '정말 이래도 되는 걸까요?', '이게 말이 된다고 생각하세요?' 하고 묻고 싶었다.

대부분 책은 그 감상이 비슷한 양상을 보인다. 각기 다른 표현과 이론, 사례들에 감명을 받지만, 후기들은 희미하게나마 일관성이 있다. 하지만 고전소설은 완전히 다르다. 전혀 다른 감상이 전해진다. 어떤 이에게 최악의 소설이 어떤 이에게는 최고의 소설이 된다. 누군가에게 흥미로웠던 포인트가 누군가에게는 심한 거부감을 일으키기도 한다. 다른 소설에서 느껴보지 못했던 개개인의 관점과 해석의 차이가 고전소설에서는 놀랄 만큼 확연하게 느껴져서 신기하기까지 하다. 고전소설이야말로 다른 이의 감상이 궁금해지는 책이다. 그래서 단언컨대 고전 독서 모임은 말도 안 되게 흥미진진하다. 매주 1권의 고전소설을 읽고, 한없이 유쾌하게 나눈 네 송이의 꽃 피는 책수다는 기대 이상의 신선한 충격을 안겨주었다.

2. 고전의 진짜 깊이가 궁금한 프리지아

고전소설을 읽는 책수다 독서모임에 참여한 것은 제대로 고전을 이해하고 싶었기 때문이었다. 소설책을 좋아해서 자주 읽는 편이었지만 고전소설은 구매하거나, 읽어본 적이 한 번도 없었다. 처음 접한 고전소설은 <이방인>, <나의 라임오렌지나무>, <달과 6펜스>, <설국>이었는데 어렵지만, 나를 돌아보게 만드는 이야기들이 참 흥미로웠다.

<이방인>은 무기력하고 지나치게 수동적인 사람의 삶에 대해 나온다. 엄마가 죽어도, 내가 사랑하는 사람이 있어도, 심지어는 사람을 죽여도 자신의 진짜 감정엔 전혀 관심이 없고, 냉소적인 태도로 세상을 마주하는 주인공을 보며 참 안쓰러우면서도 답답한 마음에 '왜 저럴까?' 하는 생각이 절로 들었다. 그런데도 한 인간의 삶을 깊이 공감하며 억울한 결말에, 책을 덮고도 한동안은 먹먹한 마음이 들었다.

<나의 라임오렌지나무>의 주인공 제제는 책을 읽는 내가 보기엔 한없이 맑고 투명한 아이라고 생각했지만, 소설 속 어른들의 시선에서는 '악마'로 표현되어 안타까움이 들었다. 나는 혹시 편견을 가지고 누군가를 바라보지 않는지, 나의 시선에 누군가는 상처를 받지 않는지, 혹시 누군가가 나를 그렇게 바라보진 않았는지, 관계 속 '시선'에 대해 많이 돌아보게 했던 책이었다.

<달과 6펜스>와 <설국>은 내용이 이해가 잘되지 않아, 끝까지 제대로 읽지 못했다. 이전 책수다 모임을 통해 멤버들의 다양한 의견들을 듣다 보니 주인공과 책의 내용이 이해가 가는 게 신기하기도 하고 책에 대해 설명할 수 있는 게 부럽기도 했다.

마치 고전소설은 내가 알지 못하는 또 다른 세계 같다는 생각이 들었다. 그래서 더 이해하고 싶었고, 더 깊게 읽어보고 싶었다. 어떤 부분에서 매력을 느끼는지 알고 싶었고, 다양한 고전소설에 등장하는 주인공들의 삶을 들여다보고, 나의 삶과 비교해 보고 싶었다. 그래서 고전소설 책수다 모임에도 신청하게 되었다.

지금까지 총 16권의 고전소설 책을 읽었다. 어떤 책은 관계에 대해, 어떤 책은 나다움에 대해, 어떤 책은 깨달음과 사유에 대해, 어떤 책은 사랑과 욕망에 대해 말하고 있었다. 고작 16권이었지만 이제는 고전소설만큼 사람의 내면을 들여다보게 하는 책은 없다고 생각한다.

인간이라는 존재 혹은 나에 대해 알고 싶은가?
삶에 대해 생각해 보고 싶은가?
사유하고 사색하는 사람이 되고 싶은가?

그렇다면 꼭 고전소설 읽기를 추천하고 싶다. 고전이 어렵거나, 부담스럽거나 마냥 미뤄두고 있었다면 네 송이의 책수다 이야기를 통해 고전의 매력을 느껴볼 수 있지 않을까 기대해 본다.

3. 고전의 편견을 깨고 싶은 수선화

독서 모임을 가끔 참여하긴 했으나 고전 독서 모임은 책수다를 통해 처음 접해본다. 책을 많이 읽는 사람들조차도 고전 도서가 어렵다고 얘기하는 것을 자주 듣다 보니 고전 도서는 자연스레 피한 듯하다.

'나는 아직 고전 도서를 읽을 수 있는 수준이 안돼.'라는 잘못된 생각으로 고전을 감히 엄두도 내지 못했다. 깊이 있는 도서라고 생각하다 보니 선뜻 다가설 수 없었다. 책을 열심히 읽기 시작한 지 불과 1년이 조금 넘은 내가 읽을 수 있는 책이 아니라는 편견을 가졌다.

자기계발서와 에세이를 자주 읽는 나는 고전을 읽고 이해할 수 있는 능력 또한 부족하다고 생각했다. 그래서 더더욱 고전을 멀리했다. 그리고 고전은 재미없고 지루한 책이라는 편견이 있었다. 그런 이유에서 사실 서점과 도서관에 가서도 고전 책이 꽂혀 있는 곳에서는 뒤도 돌아보지 않고 서둘러 그 자리를 벗어나기 일쑤였다. 나의 편견으로 인한 잘못된 버릇이었을지도 모른다.

코스모스님께서 함께 하자는 권유가 없었다면 나는 아직도 나의 독서 능력을 탓하며 고전 도서는 내가 읽을 수 없는 도서, 지루하고 재미없는 도서라는 잘못된 생각을 하며 지냈을 것이다. 그리고 쉽게 읽을 수 있는 책들만 선호하며 고전에 대한 편견을 떨칠 수 없었을 것이다.

자기계발서와 에세이의 문체는 직접적인 표현으로 쓰여 있다 보니 깊이 생각하지 않아도 누구나 쉽게 읽을 수 있는 장점이 있다. 하지만 고전은 직접적 표현보다 비유적인 표현이 많다. 한 문장 한 문장을 읽고 생각하며 문장의 의미를 재해석해야 하는 번거로움이 있다. 그래서 누구나 쉽게 접하지 못하기도 하고, 망설임과 어렵다는 편견을 가질 수밖에 없다. 나 역시도 그런 이유에서 고전을 기피했다. 하지만 어렵다는 이유로 계속 고전을 피할 수만은 없었다. 한편으로는, 어렵지만 깊이 있는 독서를 위해 읽어보고 싶기도 했다. 혼자서는 절대 고전을 펼칠 자신이 없어 책수다의 힘을 빌리기로 했다.

독서 모임에서 발표는 나에게 큰 산을 넘는 것과 같이 어렵고 힘든 도전이었다. 이번 계기로 나의 도장 깨기의 기회가 될 수 있다는 확신으로 책수다 독서 모임에 참여하게 되었다. 책수다 독서 모임을 통해 어렵지만, 함께 읽고 나눌 수 있는 유익한 시간을 보낼 듯하여 용기를 내어본다.

4. 잘 살고 싶을 때 책수다를 만난 수국

책 읽기의 본질은 뭘까? 지식습득? 성장? 자기성찰?
좋은 점들은 정말 많지만 나는 '즐거움'이라고 생각한다.
이야기가 주는 즐거움.

대안학교와 일반 학교의 도서실에서 아이들을 만나며, 삶의 다양성과 교육의 중요성, 사회적 안전망에 대해 깊이 고민하게 되었다. 이전에는 나 하나 돌볼 수 있으면 된다고 생각했다. 그러나 과도한 부모의 관심을 받는 아이들, 아무런 지원을 받지 못하는 아이들, 사춘기의 고민과 집안 문제로 어려움을 겪는 아이들을 보며 생각이 달라졌다. 그들의 고민을 함께 대화하고 책으로 풀어가며, 삶에 책이 더해져 문제를 해결해가는 것이 얼마나 중요한지 깨달았다.

인스타그램을 시작하고 책을 본격적으로 읽으며 책을 읽는 방향성에 대해 깊이 고민하게 되었다. 처음에는 내가 어떤 분야에 관심이 있는지, 어떤 이야기를 하고 싶은지에 대한 깊은 고민 없이, 그저 팔리는 이야기를 전하기 위한 책만 읽었다. 그러다 보니 어느 순간 내가 무슨 이야기를 하고 있는지, 내가 읽고 있는 책이 정말 나를 위한 책이었는지 점점 알 수 없게 되었다. 나를 위한다는 명분으로 사실은 남들에게 보여주기 위한 자기관리, 성공 관련 책들, 그리고 자녀 교육에 관한 책들을 주로 읽고 기록하고 있었기 때문이다. 독서의 목적이 나와 타인의 성장이 아닌 보여주기용이라는 것은 여러모로 마음에 걸렸다.

그때 운명처럼 고전 독서 모임을 만났다. 첫 책으로 헤밍웨이 <노인과 바다>를 읽기 시작했을 때 헤밍웨이의 간결한 문체와 힘 있는 문장에 단박에 매료되었다. 오랫동안 잊고 있던 책을 읽을 때의 두근거림이 다시 찾아왔다. 문장들이 얼마나 반짝이던지. 소설 속 노인이 삶을 대하는 태도는 나에게 위로를 주었고 삶을 잘 살아내야겠다고 다짐하게 했다. 예상치 못했던 나의 변화에 스스로 무척 놀랐다.

이후 매주 한 권씩 12권의 고전을 읽으며 책 읽기의 본질에 대해 다시 생각하게 되었다. '즐거움' 그렇게 생각하니 고전을 읽을 때 마음이 편해졌다. 읽고 생각을 정리할 땐 인생의 경험이 쌓인 만큼 이전과는 또 다른 새로운 시선으로 바라볼 수 있었다. 또 독서 모임을 통해서 네 명의 각자 다른 시선으로 책을 볼 수 있었다. 아무리 읽어도 이해가 되지 않던 부분이 말 한마디에 술술 풀리는 경험도 할 수 있었다.

책수다를 함께하며, 고전을 통해 시대와 삶을 아우르며 나와 다른 사람을 돌아볼 수 있는 시선을 배웠다. 책을 읽고 함께 이야기만 나눴을 뿐인데! 즐겁고 깊이 있는 고전의 이야기로, 당신을 초대한다.

Interview 1. 선정도서 중 최고의 책과 최악의 책

1. 코스모스

최고의 책은 <싯다르타>이다. 이런 생각을 한 적이 있다. '스님은 속세를 떠나서 수행만 하는데, 속세에 사는 우리에게 그 가르침의 적용이 가능한가? 결혼, 육아, 직장생활과도 멀어진 스님이 일상에서 불청객처럼 침투하는 각기 다른 갈등과 불안을 과연 얼마나 공감할 수 있을까?'

<싯다르타>는 수행승이었던 싯다르타가 속세로 나가 경험을 통해 진정한 깨달음을 얻는 과정을 그렸다. 그는 속세에서 온몸으로 대차게 치이면서 불안, 자책, 나태, 집착에 빠져 허우적댄다. 속세에서의 그는 원 없이 찌질했고, 오만했고, 고집쟁이였지만, 그 모든 것을 경험한 후 결국 강물처럼 자유롭고 평온한 해탈의 경지에 이른다. 우리도 소란한 일상에서 못난 감정들을 안고 살고 있다. <싯다르타>는 그런 우리와 함께 걸으며, 바로 옆에서 현자의 지혜를 전한다. 소설을 읽고, 각기 다른 사람과 상황, 감정에 대해 존중하는 마음을 가지고 조용히 귀를 기울여 본다. 혼란한 삶을 흐르는 강물에 빗대어 한동안 멍하니 바라보니, 마음이 한결 잔잔해졌다.

2. 프리지아

최고의 책은 <브람스를 좋아하세요...>이다. 지루함, 설렘, 답답함 등의 다양한 감정들이 떠올랐고, 가장 재밌게 몰입하며 읽을 수 있었기 때문이다. 익숙함과 새로움. 여주인공의 삶을 바라보며 우리는 얼마나 익숙함의 함정에 빠져 사는가를 생각해보게 되었다.

이전에 <설국>, <데미안>과 같이 문체부터 고전 느낌이 나는 책들도 좋았지만 <브람스를 좋아하세요...>는 꼭 현대소설을 읽는 느낌이었다. 주인공과 남자 친구, 그리고 새로운 연인. 등장인물 사이의 관계에서 왠지 예전 나의 연애 시절을 돌아보는 듯한 느낌이 들어 깊이 몰입할 수 있었다.

최악의 도서 <태어나지 않은 아이를 위한 기도>는 네 송이 모두 입을 모아 MBTI 중 N의 화법이라고 했던 책이다. N의 화법이란 어떤 상황이나 심리를 상징적, 비유적으로 표현하는 것을 말한다. 이 책은 유독 내가 이해하기 어려운 비유들이 많았고, 기승전결 없이, 그저 떠오르는 대로 했던 말을 두서없이 나열하고 있다는 생각이 들어서 읽기가 힘들었다.

3. 수선화

가장 좋았던 도서는 <싯다르타>이다. <싯다르타>는 한 인간의 자기실현 과정을 그린 고전소설로 나 자신을 탐색할 수 있었던 도서였다. 강을 통해 배우고, 삶의 깨달음을 얻는 싯다르타를 통해 나 또한 깊은 사유의 시간을 가져보았다. 자연과 인간의 삶에서 느끼고, 생각하고, 깨달음을 얻을 수 있는 싯다르타만의 특별함이 있다. 깨달음은 말로 표현되는 순간부터 그 본래의 참뜻을 훼손해 버리므로 깨달음을 표현할 수 있는 것은, 오직 깨달음 자체일 뿐이라는 문장이 내 마음에 깊은 울림을 주었다.

내가 선정한 최악의 도서는 <인간실격>이다. 소심하고 유약한 한 인간의 정신세계를 다룬 책으로 정서적인 면에서 공감이 되지 않았다. 그리고 주제가 한 인간의 정신세계라는 면에서 결코 가벼운 주제가 아니었기에 주인공의 내면을 이해하기까지 쉽지 않았다. 자신의 소심함과 유약함으로 문제를 회피하는 듯한 주인공의 모습을 보면서 안쓰럽게 느껴졌다. 주인공을 통해 나 자신의 유약했던 모습이 보여 읽는 내내 불편한 마음이 들었다.

4. 수국

최고의 책 <노인과 바다>이다. 고등학생 때 읽었던 <노인과 바다>는 나에게 노인의 실패기로 남아 있었다. 왜 유명한지 도통 이해할 수 없었다. 그러나 나이를 먹어 다시 읽은 <노인과 바다>는 전혀 달랐다. 노인이 바다를 대하고 삶을 대할 때의 태도, 수도자의 그것과 온전히 닮은 중용을 품은 겸손함은 노인의 삶을 관통하는 것이고 내가 배우고 평생 가지고 가고 싶은 하나였다. 간결하면서 힘이 느껴지는 문장들이 진심으로 아름다웠다.

최악이라기보다 어려웠던 책은 <태어나지 않은 아이를 위한 기도>이다. 저자의 내면 이야기를 의식의 흐름에 따라 날것 그대로, 긴 호흡으로 전한 책이라 읽기 힘들었다. 같은 부분을 세 번씩 읽기 일쑤였다. 그러나 읽다 보면 그렇게 살 수밖에 없었던 작가의 삶의 무게가 느껴져 마음이 더욱 아려왔다. 인간이 존재하는 그 자체의 절망을 독백으로 표현한 책이었다.

고전이 꽃피는 독서모임
네송이의 책수다

PART 2

나는 나답게
살고있을까?

Part 2. 나는 나답게 살고 있을까?

1. 열정과 인내, 끈기가 있는 삶
 - 어니스트 헤밍웨이 <노인과 바다>

(1) <노인과 바다> 프리지아의 책 이야기

'살리오' 즉, 스페인 말로 '가장 운이 없는 사람'이라는 별명을 가진
가난한 어부 산티아고의 소개로 이야기는 시작된다. 산티아고는 항상
조각배를 타고 홀로 고기를 잡는 노인이다. 살리오는 84일 동안 고기
한 마리 낚지 못한 노인에게 동네 사람들이 붙여 준 별명이었다.

언젠가 큰 고기를 잡을 수 있다고 희망에 가득 찬 노인을 마을 사람
모두 짠하고 바보 같다고 생각했지만, 한 소년만큼은 노인을 진정으로 위
할 줄 안다. 노인의 실없는 말에 대꾸해 주고 노인을 위해 먹을 것을 가
져다주기도 했다. 소년은 계속 노인과 함께 작은 배를 타고 바다로 나가
고 싶어 했지만, 부모의 반대로 노인의 배가 아닌 큰 배를 타러 나가야
했고, 노인은 또다시 홀로 작은 고기잡이배를 타고 더 먼 바다로 나간다.

*하루하루가 새로운 날이 아닌가. 물론 운이 따른다면 더 좋겠지. 하지만
나로서는 그보다는 오히려 빈틈없이 해내고 싶어. 그래야 운이 찾아올 때
그걸 받아들일 만반의 준비를 갖추고 있게 되거든. - P.34*

여전히 고기가 잡히지 않았지만, 희망을 잃지 않았던 노인 산티아고는 홀로 먼 바다에서 지쳐갈 때쯤 크기를 가늠할 수 없는 거대한 물고기를 낚게 된다. 지금까지 노인의 경험과 노련함 그리고 인내심이 발휘되는 순간이었다.

> 바로 그 순간 고기가 갑자기 동작을 멈추는 것이 느껴졌지만 중량감은 그대로 남아 있었다. 이윽고 중량감이 더욱 늘어나자 그는 낚싯줄을 더 풀어 주었다. 잠시 엄지손가락과 집게손가락의 압력을 높이자 점점 무거워지면서 줄은 곧장 아래쪽으로 내려갔다. "이놈이 미끼를 삼켜 버렸군. 잘 집어삼키도록 해 줘야지." - P.45

거의 3달 만에 잡은 이 고기가 가늠이 안 될 정도로 컸던 만큼 노인은 더 신중하고 치열하게 고기 잡을 준비를 했다. 금방 힘이 빠지지 않는 고기 때문에, 노인은 잠도 제대로 못 자고, 먹지도 못하면서도 낚싯줄을 절대 놓지 않았다. 본인의 배보다 큰 고기와의 싸움, 상어 떼와의 싸움. 노인의 고군분투는 계속된다.

<노인과 바다>은 제목이 워낙 유명하여 숱하게 들어봤지만 읽어보진 않았었다. 우연히 강의를 듣던 중 강사가 자신의 인생 책이라며 <노인과 바다>를 언급했다. 그때 들었던 말이 너무 인상 깊어 꼭 읽어봐야겠다고 생각했다.

"살면서 이 주인공처럼 열정 가득하고 치열하게 노력해 본 적이 있는가? 하는 생각이 드는 책이라, 지치고 힘들 때 저는 <노인과 바다>

의 주인공 할아버지를 떠올리며 이겨내곤 해요"

"하지만 인간은 패배하도록 창조된 게 아니야." 그가 말했다. "인간은 파멸 당할 수 있을지는 몰라도 패배할 수는 없어." - P.104

바다와 치열하게 싸우던 노인이 한 말이라 더 와닿았던 이 문장을 많은 사람이 왜 명대사로 꼽는지 알 것 같았다. 노인은 끊임없이 오는 시련을 이겨내려 노력했고 절대 포기하지 않았다.

포기하지 않는다면 패배한 게 아니지 않을까? 살면서 정말 많은 포기를 해왔다. 어렵고, 힘들다는 이유로 혹은 다들 이렇게 애쓰지 않는다는 핑계를 대면서 말이다. 독서를 시작하고 이제는 진짜 내가 원하는 삶을 살겠다고 마음을 먹으면서 조금씩 마음에 불을 지피고 있던 터라 <노인과 바다>는 마음의 불을 활활 피어오르게 해주는 휘발유같이 느껴졌다.

이 책에서 또 인상 깊었던 것은 소년 마놀린이었다. 노인을 옆에서 살뜰히 챙기고 항상 힘이 되어 주는 소년이었다. 그래서 노인은 청새치와의 전투 내내 소년을 생각하곤 한다. 이 소설 속에서 유일하게 노인의 꿈을 응원해 주었던 단 한 사람, 상처투성이로 돌아온 노인을 대신하여 대성통곡을 하는 소년을 보며 '이처럼 단 한 사람만 있어도 참 위안이 되겠다'라는 생각이 들었다. 동시에 나도 누군가를 위해, 진심으로 응원해 줄 수 있는 사람이 되어야겠다고 생각했다.

(2) <노인과 바다> 책수다 이야기

꽃피는 네 송이 책수다의 시작

코스모스 안녕하세요. 프리지아님 아침에 만나니 반짝반짝하세요. 저는 왜 이리 퉁퉁 부었는지 알다가도 모르겠어요. (웃음)

수선화 그러네요. 프리지아님 유난히 빛나시네요.

프리지아 (수줍) 저도 오늘따라 얼굴이 부었는데;;

코스모스 우리 프리지아님. 목소리 너무 좋으시죠?

수선화 맞아요. 예전에도 이야기 했었는데, 목소리 참 좋으세요.

프리지아 (수줍) 어머, 감사해요.

<노인과 바다> 책에 대한 감상

프리지아 오늘 책은 제가 추천한 헤밍웨이의 <노인과 바다>입니다. 이 책을 추천한 이유는 어떤 강의에서 강사분이 인생 책이라고 말씀하셔서 읽어보고 싶었어요. 그분은 소설 속 노인이 고난과 시련 속에서 고군분투하는 모습이 너무 인상적이라고 하셨는데, 어떤 모습인지 궁금했어요.

코스모스 책을 읽고, 고난과 시련이 느껴지셨나요?

프리지아 고난과 시련보다는 인내와 끈기가 느껴졌어요. 청새치를 잡을 때까지 참고 기다리고, 또 청새치와 치열하게 싸우면서도 끈기 있게 포기하지 않았고, 상어의 공격에도 어찌 되었든 끝까지 버텨낸 것이 인상적이었어요.

코스모스 저는 도서 블로그를 시작한 지 얼마 되지 않아서 이 책 리뷰를 남겼었는데, '명대사'라고 하고, 제가 좋았던 문장들을 적어놨었어요. 그랬더니 어떤 분이 이렇게 댓글을 다셨어요. '이 책 명대사는 '인간이란 파괴당할지언정, 그에게 패배란 있을 수 없지' 이거죠.' 글을 보고 문득 민망해졌어요. 유명한 대사를 몰랐다는 게 들통난 것 같아서요. 굳이 잘난척하듯 댓글을 남긴 분이 괜스레 미웠죠. 그래서 '명대사'의 의미가 뭔지, 내가 뽑은 명대사를 적으면 안 되는 것일지 찾아봤죠. 그랬더니 명대사란 '뜻이 깊고 훌륭한 대사'라고 나와 있더라고요. 그러면 제가 생각한 훌륭한 대사를 적어도 되는 거잖아요? 그래서 과감하게(!) 블로그에 이렇게 적었죠.

프리지아 어떻게요?

코스모스 마치 처음부터 쓴 것처럼, 댓글에 있던 명대사를 본문에 옮겨 적었죠.

네송이 (빵터짐)

코스모스 그래서 제게 헤밍웨이 <노인과 바다>는 명대사가 잊히지 않는 책이랍니다.

직업의식에 대해

코스모스 저는 퇴사 후 얼마 되지 않은 시점에 이 책을 처음 읽어서 노인의 직업의식이 인상 깊었어요.

그들은 바다를 두고 경쟁자, 일터, 심지어 적대자인 것처럼 불

렸다. 그러나 노인은 늘 바다를 여성으로 생각했으며, 큰 은혜를 베풀어 주기도 하고 빼앗기도 하는 무엇이라고 말했다. (중략) 달이 여자에게 영향을 미치는 것처럼 바다에도 영향을 미치지, 하고 노인은 생각했다. - P.31

우리는 일을 하며 직장을 고된 노역의 장소, 심지어 감옥으로 생각하고는 해요. 하지만 노인은 노동의 장소인 바다를 사랑하고 존경하는 느낌이 들었어요. 심지어 청새치도요. 여러분에게 직업은 어떤 의미인가요?

수선화 저는 전업주부로 오래 생활했어요. 아이를 키우고 가족들을 위해 따뜻한 음식을 만들고, 보살피는 것들이 제일이었죠. 저는 그 일을 사랑했던 것 같아요. 가족을 사랑하고, 그 일을 사랑하는 마음이 있어서 오랫동안 해올 수 있었죠. 하지만 지금은, 문득 나 자신을 찾고 싶다는 생각이 들었어요. '나'를 찾고 싶다. '나'는 어떤 사람이고, 어떤 삶을 살고 싶은가…. 지금은 이런 것들을 생각해 보고 싶은 시기인 것 같아요.

수국 저도 전업주부를 오래 했죠. 기쁘게 맡은 일들을 해 왔어요. 하지만 기쁨과 동시에 패배감이 들기도 했어요. 내가 나로 살지 못하고 있다는 묘한 감정이 슬며시 고개를 내밀었죠. <노인과 바다>를 처음 읽었을 때도 그런 생각이 들었어요. 결국 노인은 맨몸으로 돌아왔잖아요. '결국 패배한 것 아닌가. 패배한 노인의 온갖 고생이 무슨 의미가 있을까?'라는 생각이 들었어요. 그런데 이번에 다시 읽으니 다른 생각이 들었어요. 노인이 결국 맨몸으로 돌아왔어도, 그 투쟁 의지, 그 과정에서 노인의 삶이 빛났다는 생각이 들었어요. 책 속에 이런 문장이 있었어요.

그들에게 저 고기를 먹을 만한 자격이 있을까? 아냐, 그럴 자격이 없어. 저렇게도 당당한 거동, 저런 위엄을 보면 저놈을 먹을 자격이 있는 인간이란 단 한 사람도 없어. - P.77

그리고 '나는 어떤 것을 누릴 자격이 있을까?'라는 생각이 들었죠. 나 자신을 돌아보게 되었어요. 그리고 또 생각했죠. '내가 가치를 두는 것은 무엇인가? 돈? 성장? 남들의 시선?' 많은 것들을 가질 수 있는 운이 따르면 좋겠지만, 삶이 그럴 수 없잖아요. 그래서 '나는 무엇을 위하고, 무엇을 포기하며 살아야 할까?' 하는 생각이 들었죠. 이전에 이 책을 읽었을 때는 그냥 좋은 책이라고 하니 '그런가 보다.' 하는 정도였는데요. 이번에 이 책을 다시 읽으니, 정말 많은 것을 느끼고, 다시금 생각해 보게 되어 참 좋은 기회였어요.

내 삶의 중요한 가치는?

프리지아 〈웰씽킹〉에 핵심 가치들이 60가지 나오잖아요. 그중 제 핵심 가치를 적어봤었는데, 지금 문득 떠오르는 저에게 가장 중요한 가치는 '열정'이에요. 예전에는 20대 청춘에 불타는 것만이 열정이라고 생각했어요. 그런데 열정은 나이와 상관이 없는 것 같아요. 지금 내가 하는 것에 몰입해서 온 마음을 다하는 것이 삶에서 중요하다고 생각해요.

수국 저는 경제적인 요소를 빼놓을 수 없다고 생각했어요.

이전에 경제적으로 힘들 때가 있었어요. 정말 그때는 패배감이 들었죠. '무엇을 위하여 사는가?, 결국은 돈이 있어야 하는 것 아닌가?'라는 생각들이 들었죠. 하지만 뭔가 헛헛한 마음이 들곤 했어요. <노인과 바다>를 읽고 더 그랬던 것 같아요. 노인의 투쟁 의지가 너무 와닿는 거죠. 청새치를 잡기 위해 작살을 찔러넣고, 상어와 싸우고, 결국은 맨몸으로 돌아왔지만, 계속 부딪치는 노인을 보며 문득 이런 생각이 들었어요. '불안해하지 말자' 지금 북스타그램 운영을 시작하고, 새로운 방향성을 고민하며, 내가 지금 무엇을 위해 하고 있는지 고민이 많았어요. 하지만 이 책을 통해 노인이 망망대해에서 상어와 싸우며 자신을 지켜낸 것처럼, 뭐든 할 수 있겠다는 다짐을, 다시금 할 수 있었어요.

코스모스 수국님. 정말 책이 좋으셨나 봐요. 표정부터 너~~무 좋으신데요?

네송이 (빵터짐) 맞아요.

수선화 저도 바로 어제까지 불안을 느꼈던 것 같아요. 북스타그램을 운영하다 보면 너무 대단하고 멋지게, 하루 24시간이 부족할 것 같은 분들이 많으시죠. 그런 분들을 보면 주눅도 들고, 불안감이 들어요. 생각해 보면, 제 삶에서 가장 중요한 가치는 성장이에요. 성장을 중요하게 여기며 살았고, 앞으로도 그럴 것이고요.

코스모스 수선화님은 성장이 뭐라고 생각하세요?

수선화 내면이 단단해지는 것과 자존감을 지키는 것이요. 생각해 보면 예전에는 단단하지 못했던 것 같아요. 과거와 비교해 보면 지금 놀랍도록 단단해졌어요.

코스모스 어쩌면 수선화님은 삶의 가치를 충족하며 살고 계시네요. 이미 성공하셨어요. 저도 불안을 안고 사는 것 같아요. 하지만, 두 분 말씀을 듣고 생각하니, 앞으로 3일간은 불안해하지 않고 살 것 같아요. (웃음)

수선화 3일이요?

코스모스 네. 3일 후에 다시 불안해지겠죠? 3일 후에 또 좋은 이야기나 문장을 읽고는 마음을 다잡아야죠. 마음 다잡는 것도 작심삼일의 연속인 것 같아요. (웃음)

수선화 맞아요. 그렇네요. (웃음)

책수다 후기

프리지아 제가 극 I인데, 책수다에서는 편하게 이야기를 나누게 되는 것 같아요. 책 이외에 다양한 이야기들을 나눌 수 있어서 너무 좋았어요.

코스모스 우리 수국님은 오늘 굉장히 역동적으로 책 이야기를 해주셨어요. 작살이 막 왔다 갔다 하는 느낌이었어요.

수국 저는 고전을 주로 아이들에게 읽어주기 위해 봐서, 평소에도 이렇게 이야기하는데 표정이 그런가요? 제가 오늘 말을 너무 많이 한 것 같아요. 오늘 너무 재미있었어요. 그런데 코스모스님 이야기도 듣고 싶은데, 못 들은 것 같아서 아쉬웠어요.

코스모스 제가 진행을 하면서 주로 질문을 하고 제 답은 못 하는 경우가 자주 있었는데, 이렇게 제 이야기를 듣고 싶다고 해주셔서 너무 감사해요. 좋은 분들과 함께하는 이 시간을 기대했는데, 역시나 너무 재미있네요. 우리 이렇게 앞으로도 부담 없이 수다 떨어요.

수선화 카페에서 친구들과 책을 사이에 두고 수다를 떠는 것 같았어요. 처음이기도 하고, 접해보지 못했던 방식이라 긴장이 많이 되었는데, 너무 재미있었어요.

오전 10시, 아직 하루를 시작하는 시간, 하루를 어떻게 보낼지 기대하는 시간, 어쩌면 그날의 분위기를 결정지을 수 있는 시간. 가장 안온하고, 설레는 시간에 만난 우리는 꽃피는 책수다를 나눴습니다. 첫수다의 긴장은 유쾌함과 설렘으로 이어졌고, 우리는 그렇게 또 다른 시작점에 섰습니다.

지금까지 성장이 인상적인 수선화, 열정이 인상적인 프리지아, 질문이 인상적인 코스모스, 작살이 인상적인 수국이었습니다.

2. 강을 모티브로 한 삶

- 헤스만 헤세 <싯다르타>

(1) <싯다르타> 수선화의 책 이야기

브라만의 아들로 태어난 싯다르타는 자신만의 깨달음을 얻고자 친구 고빈다와 수행 길에 오른다. 하지만 부처의 가르침이 아닌 스스로 깨달음을 찾고자 고빈다와 이별하고 홀로 속세의 길로 떠난다. 속세에서 만난 사랑하는 여인 카밀라와 부유한 상인 카마스와미를 만나 점점 속세에서의 쾌락, 욕구, 태만의 삶에 익숙해지고 교만함에 젖어 드는 자신을 발견한다.

> 자신의 찬란했던 한창 시절에는 매번 자신을 이끌어 주었던 그 밝고 확실한 음성이 침묵을 지키는 상태가 되어 버렸다는 사실만을 깨닫고 있었다. - P.114

이미 흉한 자신의 모습에 환멸과 역겨움을 느껴 그곳을 떠나게 된다. 이후 뱃사공 바주데바와 함께 뱃사공 생활을 하며 강물에 비친 자신의 모습을 보고 고통은 언제나 되풀이됨을 깨닫는다. 그리고 자신의 아들을 통해 그동안 잊고 있던 아버지를 떠올린다.

> 아버지 또한 자기 때문에, 자기가 지금 자기 아들 때문에 겪고 있는 그것과 같은 고통을 겪었던 것은 아닐까? (중략) 이것은, 이러한 반복은, 이처럼 숙명적인 순환의 테두리 속에서 다람쥐 쳇바퀴 돌 듯 도는 것은 한바탕의 희극, 기이하고 어리석은 일이 아닐까? - P.190

싯다르타는 바주데바 앞에서 자신에 대한 상처, 고통의 모든 이야기와 어리석은 마음까지 하나도 숨김없이 다 털어놓았다. 바주데바는 한결같이 자비로운 미소로 싯다르타의 말을 경청할 뿐이었다. 싯다르타는 바주데바를 통해 자신의 상처가 깨끗한 상태로 아물고, 치유되고 있음을 느꼈다.

이 사람이 바로 신 그 자체라는 것을, 이 사람이 바로 영원한 존재 자체라는 것을, 점점 더 강렬하게 느꼈다. - P.192

싯다르타는 속세에서의 생활과 바주데바, 강에 비친 자기 모습을 통해 깨달음을 얻는다. 깨달음은 말로 표현하면, 그 본래의 참뜻이 훼손됨을 알아차리며, 말은 깨달음을 표현할 수 있는 수단이 아님을 이해하게 된다. 가르침은 아무런 형체가 없고 말 이외에는 다른 아무것도 갖고 있지 않음을 알게 된다.

종교적인 이야기나 종교 관련 내용의 도서를 그다지 좋아하지 않는 나는 <싯다르타>를 읽기 시작하면서 불교의 윤회와 열반, 불교사상에 관한 내용이 다소 어려웠다. 사유를 추구하며 살아온 삶이 아니다 보니 싯다르타의 생각, 깨달음, 공감이 나에게 쉽게 전해지지 않았다. 그런데 싯다르타를 중반쯤 읽었을 시점에 내 가슴에서 몽글몽글한 솜뭉치 같은 따뜻함이 느껴지기 시작했다. 그때부터 책을 글이 아닌 마음으로 읽고 있다는 느낌이 들기 시작했다.

문득 왜 이런 감정의 변화가 찾아왔을까? 인간은 누구나 힘듦과 어려움을 겪는다. 그 과정을 통해 자기 자신을 만나고, 혼자만의 시간을 보내며 사유와 성찰의 시간을 갖는다. 나 또한 그런 시간을 통해 <싯다르타>를 글이 아닌 마음으로 읽게 된 것이 아니었을까?

<싯다르타>를 읽으며 문장에 담긴 깊은 의미, 특히 강을 통한 삶의 지혜, 속세에서의 욕망과 탐욕적인 생활을 통한 깨달음을 공감하며 수용해 본다. <싯다르타>의 잔잔한 여운과 찐한 사유의 매력에 빠진 나는 완독 후에도 이따금 책을 펼쳐보게 되었다.

<싯다르타>를 읽고 내가 느낀 가장 큰 변화는 사유하는 삶이다. 과거의 나는 '사유'라는 단어조차도 잘 몰랐고 '사유의 삶'이 왜 필요한지조차도 알지 못했다. '굳이 시간을 들여 그럴 필요가 있나?' 하며, 시간 낭비라고 생각했다. 하지만 지금의 나는 사유의 시간을 즐기며 스스로 사유의 기회를 만든다. 요즘 산 둘레길을 걸으며 사유의 시간을 자주 갖는다. 자연을 통한 깨달음, 산에서 만난 사람들에 대한 소소한 기록을 남긴다. 자연의 변화에 집중하고 새소리, 바람 소리, 흐르는 시냇물 소리에 귀 기울인다. 사유의 시간을 갖다 보니 자연스레 나에게 집중하고, 나 자신과 대화의 시간을 경험한다. 그리고 나의 감정의 변화에 집중해 본다. 이런 시간을 통해 생각을 정리하고 글쓰기까지 할 수 있는 나만의 사유하는 삶에 매력을 느낀다. 한 권의 책을 통해 변화되어 가는 나를 발견한다. 그리고 사유하는 삶을 통해 앞으로 더욱더 성장할 나의 모습이 기대된다.

책에 대한 감상

코스모스 수선화님. 이 책을 추천한 이유 먼저 들어볼게요.

수선화 저는 이 책을 단체 채팅방으로 감상을 나누는 독서 모임에서 처음 만났어요. 내용이 어렵지만, 좋은 문장들이 인상적이었어요. 책을 읽으며 경건함과 겸허함을 느꼈죠. 한 번 읽고 지나치기에는 너무 아쉬운 책이라 다시 읽고 싶어서 추천하게 되었어요. 이번에 다시 읽으니 처음 읽을 때와 다르게 글로만 읽는 것이 아닌, 생각하면서 읽고 있음을 느꼈어요. 새롭게 다가오네요.

코스모스 어떤 부분들이 특히 새로움으로 다가왔을까요?

수선화 뱃사공이 주는 가르침이요. 싯다르타와 뱃사공의 대화 중 강이 주는 가르침에 관해 이야기를 나누는데, 그 부분에서 깊이 있는 생각을 하게 되었어요.

코스모스 저도 책을 읽으며 강이 주는 가르침이 인상 깊었어요. 소설에서 강이 상징하는 것, 그리고 무엇보다 강처럼 경청한다는 것이 어떤 것일지 생각해 봤어요. 깨우침을 그 어떤 '말'이 아닌 '강'으로 전하는 것 같아요.

프리지아 저는 내용이 너무 어려워서 돌려보기를 반복했어요. 한 인간이 도를 닦으러 갔다가 세속적인 경험에 뛰어드는 설정이 신기했던 것 같아요. 그리고 저도 왠지 경건해짐을 느꼈어요. 이전 선정 도서 <노인과 바다>는 삶에 대한 열정이 느껴졌다면 <싯다르타>는 강과 같이 잔잔한 삶의 흐름에 대해 생각해 볼 수 있었던 책이었어요.

수국 저는 강처럼 흐르는 삶에 대해 생각해 봤어요. 내면의 흐름도 인상적이었고요. 특히 아버지가 된 싯다르타가 아들에게 집착하는 모습과 그의 내면 변화에 공감했어요. 그리고 사유하는 삶을 살아야겠다고 다짐했어요. 그래야 노년기에 종이처럼 얇디얇은 사람이 되지 않을 것 같은 생각이 들었어요. 싯다르타는 속세에서의 생활을 즐기다 돌아왔을 때 참 좋았다고 하잖아요. 그래서 정신적인 면의 중요성을 느끼게 되었어요. 그리고 강은 깨달음들이 모여 하나가 됨을 상징하는 듯했어요. '잔잔하게 흐르는 순간들이 모여서 하나의 내가 완성되어 가는 것이 삶이 아닌가?'라는 생각과 더 잘 살고 싶다는 생각이 들었어요.

코스모스 저도 이 책 너무 좋았어요. 결혼 전 남편과 연애할 때 문득 스님이 되고 싶다고 생각했어요. 그때는 잘 몰랐는데, 지금 생각해 보면 마음껏 사색하고 싶었던 것 같아요. 그래서 지금의 남편에게 스님이 되고 싶다고 했죠. 남편이 눈이 동그래져서는 무슨 말이냐며 엄청나게 당황했죠. 잘 만나던 여자 친구가 갑자기 스님이 된다니 황당했을 거예요.

네송이 (빵터짐!)

코스모스 남편이 제게 그런 말을 했어요. 스님의 깨달음과 가르침이 물론 훌륭한 것은 맞지만, 경험하지 않은 분들의 가르침과 수행 과정이 우리의 시련과는 엄연히 다르다는 것이죠. 그 말을 듣고 그럴 수도 있겠다 생각했어요. 경험하지 않은 사람들은 경험에서 오는 고난과 좌절을 맛보지 못했잖아요. 그래서 그분들의 가르침이 물론 뛰어나지만, 경험 후의 깨달음과는 다를 것이라는 생각을 했어요. 그래서 많은 경험을 한 어르신들의 말씀에는 지혜가 스미잖아요. 그런 생각을 했었는데 마침 <싯다르타>를 읽으며 너무 공감되어 무릎을 '탁' 쳤어요. '이거지! 이거야!' 하는 생각이 들었어요.

수선화 아~ 그럴 수 있겠네요.

코스모스 저는 소설에서 수행했던 사문이 속세에서 여자에게 관심을 보이며, 시를 지어 읊고, 구애하고, 돈을 벌기 위해 부자의 비위를 맞추려고 최선을 다하는 부분이 인상적이었어요. 노름과 자식을 향한 집착도요. 우리가 주로 겪는 유혹과 몸부림들이 다 여기 담겨있죠. 싯다르타는 얼굴이 계속 변해서 오랜만에 친구를 마주했을 때 그가 몰라보잖아요. 나이가 들면 자기 얼굴에 책임을 져야 한다는 말이 이래서 있나 봐요. 그런 숱한 경험을 통해서 진정한 깨달음을 얻는다는 것이 공감되었어요.

내가 가진 세 가지 씨드

코스모스 저는 <싯다르타>가 가진 세 가지에 대해 생각해 봤어요. 싯다르타가 가진 세 가지가 뭐가 있었죠? 퀴즈!!

수선화 사색, 기다림, 단식이요!

코스모스 맞아요. 정답입니다. 짝짝짝!!!

네송이 (빵터짐!)

코스모스 여러분께 씨드가 되는 3가지는 무엇일까요?

수선화 저는 생각, 묵언, 경청이요. 20~30대는 깊이 생각하지 않았어요. 상대의 말을 들을 준비가 되어있지 않았던 거 같아요. 그런데 나이가 들어가면서 생각이 좀 바뀌었어요. 내면의 울림에 집중하고, 귀 기울여야 함을 깨닫게 되었어요. 말을 줄이고 경청하는 것이 무엇보다 중요하다는 생각을 자주 하게 돼요.

코스모스 저는 <싯다르타>를 읽으며 가장 깊이 생각해 보게 되는 것이 경청이었어요. 강처럼 경청한다는 것이 대체 어떤 것일지 생각해 봤어요. 혹시 수선화님만의 경청하는 방법이 있다면 어떤 것이 있을까요?

수선화 저는 호응하지 않는 것이요. 상대가 말할 때 호응을 하는 것보다 온전히 귀 기울이는 것이 중요한 것 같아요. 꼬리 질문이나 반응 등 이야기의 감상을 어떻게 전할지에 대해 신경 쓰기보다는 온전히 상대 이야기에 몰입하는 것에 에너지를 집중하기로 마음먹었어요.

코스모스 어떤 말씀인지 알 것 같아요. 간혹 이야기를 들으면서 다음 이야기를 이어가기 위해 어떤 질문을 할지 고민하거나, 상대방의 이야기를 판단하고, 적당한 반응을 보여주려고 애쓰며, 정작 진정한 경청을 위해 필요한 에너지가 흩어질 때가 있어요. 수선화님 말씀을 들으니, 정말 좋은 경청 방법이라는 생각이 드네요.

수국 저의 3가지 씨드는 남편과의 대화, 감사, 나 자신의 부족함을 이해하는 것이요. 저는 남편과 대화하며 온전히 솔직하게 제 생각과 감정을 이야기해요. 그 시간이 제가 놓치는 나의 감정을 알아차리는 시간이기도 해요. 그리고 감사는 나의 삶을 더 풍요롭게 하죠. 마지막으로 저는 겸손함에 관한 이야기를 많이 듣고 성장했어요. 하지만 그 겸손은 제가 생각하는 '부족함을 이해하는 것'과는 조금 다른 의미예요. 저는 제가 더 채워야 할 것들을 알아차리는 것이 중요한 것 같아요.

프리지아 저는 꾸준함과 호기심, 인내요. 호기심이 저에게는 열정으로 다가와요. 새로운 분야를 알고자 하는 호기심이 더 많은 경험을 하게 하고, 저를 더 넓은 세계로 이끄는 것 같아요. 그리고 저는 어떤 일을 시작하면 끝까지 꾸준히 해요. 꾸준히 하다 보면 오래, 더 단단하게 내 것을 만들어 갈 수 있는 것 같아요. 그리고 그것은 인내로부터 시작된 것일 수 있죠.

코스모스 맞아요. 프리지아님은 정말 호기심이 많은 것 같아요. (웃음) 알면 알수록 매력이 넘치는 분이에요.

프리지아 (수줍) 왠지 부끄럽네요.

코스모스 저는 사색, 질문, 유머요. 저는 어렸을 때부터 사색하고 질문하는 것을 좋아했어요. 주변에서는 쓸모없고, 어려운 질문을 한다고 타박하기도 했죠. 그래서 기가 죽기도 하고, 눈치를 보며 말을 거두기도 했어요. 그런데 나이가 들고 돌아보니, 제가 질문하며 사색했던 것들이 나를 단단하게 만들었음을 알았어요. 상담할 때도 질문 덕분에 내담자 스스로 필요한 길을 찾을 수 있도록 도울 수 있었고, 사색 덕분에 내담자에게 정말 필요한 질문과 깊이 있는 이야기들을 나눌 수 있었죠. 그리고 유머는 인간관계와 삶을 유연하게 하는 좋은 도구인 것 같아요.

수선화 저는 유머가 있으면 좋겠어요. 제가 유머가 없어서 그런지 유머 있는 분들이 부럽더라고요.

수국 저는 질문을 좀 더 잘했으면 좋겠어요. 남편은 질문이 많은 스타일이에요. 그래서 '사회생활을 어떻게 할까?' 하는 생각이 들기도 하지만 질문들로 생각지 못했던 것들을 생각해 내기도 하더라고요.

코스모스 너무 잘 알 것 같아요. 저는 이전에 팀장님께 그런 질문 한 적 있었어요.

수국 어떤 질문이요?

코스모스 팀장님은 꼰대가 뭐라고 생각하세요?

네송이 (빵터짐!)

코스모스 이전 회사 이사장님께도 여쭤봤어요. 이 질문을요.

수선화 정말요?

코스모스 네~ 그런데 두 분 모두 꼰대가 아니셨거든요. 그래서 제가 질문할 수 있었던 것 같아요. 두 분 모두 기꺼이 정성스럽게 생각해 보고 답해주셨어요. 그래서 제가 말씀드렸죠. 이런 질문을 제가 감히 할 수 있는 것은 팀장님이 꼰대가 아니셔서 가능한 것이라고요.

수국	그렇네요. 호기심도 중요한 것 같아요. 그런 호기심이 질문을 유도하고, 더 다양한 경험과 관점을 갖게 하더라고요. 저는 단편적인 것들을 무조건 받아들이는 스타일이에요. 그래서 '내가 알고 있는 것을 상대방에게 전할 때 공감과 도움을 줄 수 있을까?' 하는 생각을 해요.
코스모스	수국님은 누구보다 생생하게 표현을 잘하세요. 표정도 생생하고, 말할 때 온전히 몰입해서 자신만의 감상을 전하는 모습이 함께 하는 대화에 생기를 주죠. 수국님이 말씀하시면 그것이 머릿속에 그려져요. <노인과 바다>는 작살이, <싯다르타>에서는 강이 머릿속에 그려졌어요. 이런 대화는 함께 하면 할수록 점점 빠져들게 돼요.
프리지아	맞아요. 아까 말씀하실 때, 강이 막 그려졌어요.
수선화	저도요. 아주 생생하게 그려져요.
수국	그래요? 감사해요.
코스모스	우리에게 씨드가 되는 세 가지에 관해 이야기를 나눠 봤는데요. 무엇보다 우리는 내가 가진 이것들을 잊지 않고, 소중히 대해야 할 것 같아요. 우리를 지금까지 있게 해준 귀한 것들에 대해 감사한 마음을 가지고요.

소설 속 새가 상징하는 것

프리지아	저는 새의 상징에 대해 생각해 봤어요. 싯다르타가 날려 보낸 새는 어떤 것을 상징할까요? 저는 새가 자유를 상징하는 것 같았어요. 싯다르타는 새를 새장에서 풀어주는 것으로 얻고 싶은 자유를 만끽하는 것 같아요.

수선화 저는 그 새가 싯다르타의 내면을 상징하는 것 같았어요. 새가 새장에서 벗어나 생명력 있게 날아가는 모습은 싯다르타의 내면 해방감이 투영되었죠.

수국 저도 새는 싯다르타 자신을 상징하는 것 같았어요. 수행이 멀어지며 싯다르타의 내면이 죽어가다가 속세에서 깨달음을 얻고 다시 생기가 돌죠. 새도 새장에서 벗어나면서 다시 생명력을 얻는 것처럼요. 깨달음을 속세에서 찾으려 했던 싯다르타는 새장에서 벗어나면서 깨달음을 다시 찾게 되었죠. 깨달음은 결국 잘 살기 위한 방법을 찾다가 마주하는 것 같아요.

코스모스 수국님 말씀 듣고 문득 그런 생각이 드네요. 깨달음의 본질은 결국 '잘 살기 위한 것'이지요. 그저 '깨달음을 얻었다'는 사실이 아니라요. 삶을 더 잘 살아내는 것이 무엇보다 중요하죠. 그 과정에서 '깨달음'은 따라오는 것이고, 수단일 뿐이죠. 그것이 목적은 아니라요.

책수다를 마무리하며

프리지아 <싯다르타>는 지금까지 읽었던 고전 중 유일하게 다시 읽어보고 싶은 고전이에요. 함께 이야기를 나누다 보니 더 깊이 있는 독서가 하고 싶어졌어요.

수선화 저는 말주변이 없어서 문장으로 대체할게요.

> *말이란 신비로운 참뜻을 훼손해 버리는 법일세. 무슨 일이든 일단 말로 표현하게 되면 그 즉시 본래의 참뜻이 언제나 약간 달라져 버리게 되고, 약간 불순물이 섞여 변조되어 버리고, 약간 어리석게 되어 버린다는 이야기야. - P.209*

정말 그런 것 같아요. 말로 표현하는 것은 참 어려운 것 같아요. 그래서 말을 좀 더 줄이고, 경청하며 사색해야겠다는 생각이 들었어요.

코스모스 표현 방법보다 역시 본질이 중요하다고 생각해요. 수선화님의 말씀을 통해 본질의 중요함을 느끼고, 영감을 받을 수 있는 시간이었어요. 특히 경청과 깨달음에 대해 다시금 생각을 정리해 봤어요.

수국 저는 스스로 경험하지 않는 깨달음은 그 깊이가 깊지 않을 것이라는 생각을 했고, 깨달음을 얻는 과정에서 싯다르타의 다양한 얼굴들을 보면서 저도 유연성을 가지고 살아가야겠다고 생각했어요.

꽃피는 책수다의 네 송이는 경건한 마음으로 시작해서, 생기 넘치는 이야기들로 책수다를 마무리했습니다.

지금까지 생각, 묵언, 경청을 가진 수선화, 남편과의 대화, 감사, 부족함을 아는 것을 가진 수국, 꾸준함, 호기심, 인내를 가진 프리지아, 사색, 질문, 유머를 가진 코스모스였습니다.

3. 선과 악, 그 가운데 나다운 삶
 - 헤르만 헤세 <데미안>

(1) <데미안> 프리지아의 책 이야기

이 책은 어른 싱클레어가 자신의 과거를 회상하며 이야기가 시작된다. 행복하고 밝은 가정에서 착하게만 살아가던 유년시절 싱클레어의 앞에 어느 날 신비한 소년 데미안이 나타난다. 데미안은 싱클레어에게 성서 속 카인과 아벨의 이야기를 하며 '선'뿐만 아니라 '악'의 세계가 있다며 진실을 알려준다. 데미안이 나타난 후 싱클레어는 친구들이 더 이상 자신을 괴롭히지 않는 것을 알게 되었고, 점점 더 데미안을 동경한다.

우연히 싱클레어는 길에서 데미안과 그의 어머니 에바 부인을 만난다. 그때 싱클레어는 에바 부인이 자신의 내면에 항상 존재하던 여인이라는 것을 깨닫고 사랑에 빠진다. 얼마 뒤 전쟁에 참여해 상처를 입은 싱클레어는 야전 병원에 누워있다 옆 침대에 데미안을 발견하게 된다. 데미안은 싱클레어에게 자신이 필요할 때면 내면에 귀를 기울이라는 말과 함께 에바 부인이 전한 키스를 대신해 준다. 다음 날 아침 데미안이 있던 자리엔 낯선 사람이 누워있었음을 알게 되었고, 문득 싱클레어는 자신의 모습이 데미안과 똑같아졌음을 발견하게 된다.

<데미안>을 책수다 선정도서로 선택한 이유는 아주 유명했던 이 한 문장의 의미를 제대로 알고 싶어서였다.

새는 알에서 나오려고 투쟁한다. 알은 세계다. 태어나려는 자는 하나의 세계를 깨뜨려야 한다. 새는 신에게로 날아간다. 신의 이름은 아브락사스 - P.123

이 문장은 싱클레어가 우연히 받은 쪽지에 쓰여있던 글귀였는데, 이전에 싱클레어가 데미안에게 새가 알을 깨고 나오는 그림을 그려줬던 것을 떠올리며 이 쪽지를 데미안이 줬다고 확신한다. 그 후 싱클레어는 아브락사스를 찾아 헤맸다. <데미안>의 명대사인 이 문장은 주인공 싱클레어가 안전하고 밝은 본인의 세상을 나와 악한 세상을 경험하고 끊임없이 자신을 찾아 나서는 성장의 과정들을 표현한 것은 아닐까.

일찍이 그 어떤 사람도 완전히 자기 자신이 되어본 적은 없었다. 그럼에도 누구나 자기 자신이 되려고 노력한다. - P.9

우리 누구나 자기 스스로 찾아내야 해, 무엇이 허용되고 무엇이 금지되어 있는지 (중략) 지나치게 편안해서 스스로 생각하고 스스로 자신의 판결자가 되지 못하는 사람은 금지된 것 속으로 그냥 순응해 들어가지. (중략) 그러니 누구나 자기 자신 편에 서야 해. - P.86

<데미안>은 술술 읽히면서도 어려운 느낌이다. 데미안이 실제 등장인물인지, 어떤 상징을 담은 상상 속 인물인지, 싱클레어는 왜 하필 데미안의 엄마를 사랑하게 되는지 물음표가 가득했다. 하지만 계속 내면의 나, 진짜 자신을 찾아가야 한다는 문장들에 초점을 맞추다 보니, '어쩌면 데미안은 싱클레어 내면의 자신이 아닌가' 하는 생각이 들었다.

오늘도 미개 민족들이 믿고 있는 미술 부리는 악마의 이름쯤으로 생각하는 것입니다. 그러나 아브락사스는 훨씬 더 많은 의미를 가지고 있는 것 같습니다. - P.125

머리말을 제외한 전체 8장은 유년으로부터 자아에 이르는 과정을 누구에게나 낯설지 않은 성장의 경험들을 통하여 성찰해 나간다. - P.226

밝고 안전한 세상에서만 살다가 선과 악의 세계에서 진짜 자신의 모습을 찾으며 성장하는 싱클레어를 보며 요즘 화두인 '나다움'이 떠올랐다. '나다움'을 찾기 위해서는 주인공 싱클레어처럼 선과 악을 넘어 끊임없이 성찰하고 사색해야 할 것 같다.

그래서였는지 명대사인 '새는 알에서 나오려고 투쟁한다'에서 '투쟁' 이라는 단어가 너무 와닿았다. 나다움을 찾는 과정은 치열하고 고통스러운 부분이 있음을 헤르만 헤세는 싱클레어의 삶을 통해 표현하고 있다.

그러나 이따금 열쇠를 찾아내어 완전히 나 자신 속으로 내려가면, 거기 어두운 거울 속에서 운명의 영상들이 잠들어 있는 곳으로 내려가면, 거기서 나는 그 검은 거울 위로 몸을 숙이기만 하면 되었다. 그러면 나 자신의 모습이 보였다. 이제 그와 완전히 닮아 있었다. 그와, 내 친구이자 나의 인도자인 그와. - P.222

결정적으로 데미안이 싱클레어 내면의 존재임을 확신했던 이유는 바로 위의 문장 때문이었다. 처음부터 싱클레어는 데미안을 동경했고, 그를 닮아가고 싶어 했다. 우리는 누구나 '내가 되고 싶은 사람', 즉 이상향을 가지고 있다. 하지만 그것을 깊이 있게 생각하고 그런 모습을 만들기 위해 노력하는 사람은 흔치 않다. 진짜 나다운 삶을 위해 한 번쯤 내가 진짜 원하는 모습을 생각해 보면 어떨까.

(2) <데미안> 책수다 이야기

책수다 시작 전

수선화 저는 오늘 가족 여행을 와서 이동 중이라 채팅창으로 참여할 수 있을 것 같아요. 죄송해요.

코스모스 괜찮아요. 이전 책수다 모임에서는 지하철로 이동 중에 참여하기도 했어요. 편하게 참여해도 됩니다.

수선화 정말요?

코스모스 (장난) 대신 곤란한 질문에 하나씩 답하기가 규칙이에요.

수선화 (당황) 앗!!

수국 첫사랑 이야기해 주세요~~ 이런 거요?

코스모스 맞아요.(웃음)

책에 대한 감상

프리지아 오늘 선정 도서는 제가 추천한 헤르만 헤세 <데미안> 입니다. 데미안은 정말 유명한 한 문장이 인상적이었는데 좀 더 깊이 알아보고 싶어서 추천했습니다.

코스모스 한 문장 프리지아님 음성으로 낭독해 주실 수 있을까요?

프리지아 앗, 긴장되는데…. 잠시만요. 흠흠..

> *새는 알에서 나오려고 투쟁한다. 알은 세계이다. 태어나려는 자는 하나의 세계를 깨뜨려야 한다. 새는 신에게로 날아간다. 신의 이름은 아브락사스. - P.123*

수국 프리지아님. 목소리가 너무 좋으세요. 와~~ 순간 자연의 풍경으로 들어가는 느낌이에요.

코스모스 맞아요. 너무 좋죠? 나중에 낭독회 같은 거 한 번 해주세요. 듣고 싶어요.

프리지아 (부끄) 잘 들어주셔서 감사해요.

코스모스 프리지아님. 책 읽고 어떠셨어요?

프리지아 <데미안>은 술술 읽히면서도 어려운 느낌이었어요. 데미안이 결국 싱클레어 내면에 있는 사람일까요? 평화로운 삶의 세계와 암울했던 두 개의 세계가 있잖아요. 그리고 그 사이에서 싱클레어가 균형을 잡도록 도와주는 인물이 데미안이라고 생각되었어요. 또 나중에 데미안의 엄마를 사랑하잖아요? 이건 어떻게 해석할 수 있을지 모르겠어요. 그래도 이 책은 내면의 나를 마주할 수 있어서 좋았어요. 인상 깊은 문장도 많고, 정말 집중하게 되더라고요.

코스모스 내면의 나를 마주하는 책이라는 부분을 조금 더 자세히 설명해 주시겠어요?

프리지아 싱클레어의 생각과 그의 주변인들과의 대화를 통해, 선과 악, 두 세계에 대해 쉽게 단정 짓고, 마냥 거부하고만은 살 수 없다고 생각했어요. 나 역시 선과 악을 제대로 판가름하고, 균형있게 살았는지 되돌아보며, 나를 마주하게 되었죠. 특히 이 문장을 보고 많이 생각하게 되었어요.

> 넌 네가 생각했던 것을 결코 그대로 완전히 다 체험하지 못했다는 것도 알고 있는 거야. 그런데 그건 좋지 않아. 생각이란, 우리가 그걸 따라 그대로 사는 생각만이 가치가

있어. 너의 <허용된 세계>는 세계의 절반에 불과하다는 것을 넌 알았어. 그리고 두 번째 절반을 감추려고 했어. (중략) 넌 그걸 감추지 못할 거야! 누구도 안 돼. 한 번 생각하기를 시작하고 나면 말이야. (중략) 우리들 누구나 자기 스스로 찾아내야 해. 무엇이 허용되고 무엇이 금지되어 있는지.(중략) 그러나 다른 곳에서는 폄하되는 다른 일들은 허용되어 있어. 그러니 누구나 자기 자신 편에 서야 해.
- P.85~86

코스모스   저도 이 문장들에 밑줄 그었어요.

프리지아   정말요? 저는 이 문장들을 보고 내 안에 있는 것들을 찾아내야 하고, 그것에게 너무 비판적이거나, 너무 감싸고 들지는 말아야겠다고 생각했어요.

나에게서 음침하고 패기 없는 사람, 불쾌한 괴짜를 보았다. - P.93

<데미안>은 이런 문장들로 나의 내면을 알아차리도록 다각적으로 접근하는 책인 것 같아요.

수국   맞아요. 정말 그런 것 같아요. 저는 솔직히 오늘은 책을 다 못 읽었지만, 그래도 너무 좋았던 책이었어요. 헤르만 헤세의 문장들은 다 너~~무 좋아요.

코스모스   수국님 표정이 정말 너~~무 좋아하시는 것 같아요.

종교와 성경에 대하여

수국   저는 교회를 다녀요. 친정이랑 시댁 식구들 모두 독실한 기독교 신자이고, 프라이드도 남다르시죠. 그런데 저는 문득 '왜 옳고 그름에 대해 하느님이 판단해 줬으면 좋겠다는 생각을 할까?' 이런 생각이 들었어요. 하지만 말할 용기가 없었죠. <데미안> 소설이 나온 그 당시에는 훨씬 종교적으로 엄격한 분위기였을 것 같아서, 이렇게 글로 표현하는 데에도 용기가 필요했겠다는 생각이 들었어요.

코스모스 <데미안>에는 카인과 아벨의 이야기가 나오잖아요. 이 부분 이야기를 조금 더 해주실 수 있으실까요?

수국 카인은 동생 아벨을 죽였고, 신은 그를 추방하며, 세상을 떠돌아다니게 하죠. 카인은 신에게 자신이 세상을 떠돌아다니면, 다른 사람들이 자신을 죽일 것 같다고 하자, 신은 카인을 죽인 자는 7배의 벌을 내리겠다고, 표식을 내려주죠. 그 후 많은 사람이 그를 두려워해요.

코스모스 아~ 그렇군요.

수국 성경에 관한 공부를 하면 그런 생각이 들어요. '신이 인간을 사랑하는 방식이 과연 지혜로운 것인가?'라는 생각이요. '어쩌면 성경은 신의 성장 과정을 보여주는 글이 아닌가?'라는 생각도 들었어요. 모세도 이집트의 병사를 죽인 죄명으로 파라오를 피해 40년을 도망 다녔잖아요. 신은 모세에게 파라오를 찾아가라고 하죠. 모세는 파라오를 찾아가 이스라엘 백성을 해방해 달라고 했지만, 오히려 파라오는 핍박하며 더 안 좋은 상황으로 치닫게 되죠. 노아의 방주에서도 신이 인간을 심판해서 대홍수로 다 잠기게 했잖아요. 신도 미숙한 거죠.

코스모스 제 남편도 오랫동안 교회를 다니다가 성인이 되어 수국님이 말씀하신 부분이 마음에 걸렸다고 하더라고요.

우리가 신의 자녀이고, 삶을 신의 뜻에 맡기고, 신의 뜻대로 살아야 한다는 부분이요. 남편은 오히려 교회를 다니면서 자존감이 낮아지는 듯했데요. 내 존재가 신을 위한 것이고, 신에게 잘 보이기 위한 선택만 해야 할 것 같아서요. 그래서 교회를 그만 다녔고, 이후 원불교를 다니다가, 한동안은 성당을 다니다가, 요즘에는 다시 아이와 교회를 다녀볼까, 하더라고요. 남편에게 종교는 그저 독서 모임 같은 의미인 것 같아요.

수국 좋네요. 모든 종교를 수용하시네요.

코스모스 저는 종교를 철학적으로 접근해요. 결국, 신은 인간을 위해 존재하는 어떤 상징이고요. 우리가 좀 더 중심을 잡고 살고, 중요한 것을 깨달을 수 있도록 삶 속의 다양한 깨달음을 상징화해서 모아놓은 것이 신화이고요. 그래서 모든 책이 그렇지만 특히, 신화나 성경을 읽을 때 '왜?'라는 사색을 끊임없이 해야 한다고 생각해요.

수국 어떤 의미인지 알 것 같아요. 결국 고민과 책임, 모두 나의 것이죠. 그리고 그것을 건드려 주는 것이 <데미안>이라는 소설 같아요.

코스모스 맞아요. 책 속에 이런 문장이 있어요.

> *자신을 남들과 비교해서는 안돼, (중략) 예감들이 떠오르고 자네 영혼 속에서 목소리들이 말하기 시작하거든 곧바로 자신을 그 목소리에 맡기고 묻질랑 말도록. 그것이 선생님이나 아버님 혹은 그 어떤 하느님의 마음에 들까 하고 말이야. 그런 물음이 자신을 망치는 거야. - P.147*

그 누구도 아닌 나의 내면이 하는 말에 귀를 기울여야 하는 것 같아요. 뭐든 내 마음에 들기 위해 우리는 스스로 결정하고, 그것에 책임을 지는 것이 중요하죠.

프리지아 정말 그렇네요.

코스모스 그리고 '우리는 '신'과 '사탄'을 무엇으로 구분하는가?' 하는 생각이 들었어요. 책 속에 아브락사스가 그런 의미였죠.

> *우리의 신은 아브락사스야. 그런데 그는 신이면서 또 사탄이지. 그 안에 환한 세계와 어두운 세계를 가지고 있어. - P.147*

소설 〈파우스트〉를 보면 소설 속에 등장하는 악마는 오히려 안쓰러운 느낌마저 들어요. 파우스트는 존경받는 박사이지만, 너무도 쉽게 악마에게 영혼을 팔았고, 욕망에 빠져들죠. 그리고 악마인 메피스토펠레스는 파우스트에게 오히려 휘둘리며, 그의 시종 노릇을 하는 듯해요. 〈파우스트〉 소설 속에는 그런 문장도 있어요.

> *제 이름은 메피스토펠레스이고, 사람들이 흔히 말하는 악마랍니다. 저는 악한 것을 좋아하지만, 선을 이루는 힘의 일부이기도 하지요. - 괴테 〈파우스트〉*

신이든 사탄이든, 선이든 악이든 결국 이미지화된 상징일 뿐이고, 그것들은 결국 우리가 어떻게 해석하고, 수용하고, 적용하느냐에 달린 것 같아요.

소설 원문을 읽고 싶은 마음

수국 저는 헤르만 헤세의 글은 다 좋았어요. 문장이 너무 보석 같아요. 그래서 원문으로 읽고 싶다는 생각이 들었어요. 제 지인 중에 일본 교환학생을 다녀온 분이 있는데, 무라카미 하루키 소설을 원문으로 읽는다고 하더라고요. 원문으로 읽으면 느낌이 더~ 좋데요. 이번 신작 <도시와 그 불확실한 벽>도 원문으로 읽으니 너무 좋다고 해요.

코스모스 아~ 정말요? 저는 <도시와 그 불확실한 벽>은 문장들이 너무 매끄러워서 번역을 잘한 것 같다고 손꼽은 소설이거든요. 무라카미 하루키 글은 추상적이라 여겨질 수 있는 상징들이 많아서 번역이 힘들 것 같다고 생각했는데, 자연스럽게 어떤 의미인지를 파악할 수 있으니, 충분히 잘된 번역이라는 생각이 들었어요. 그런데 원문으로 읽으면 더 좋다고 하니 너무 부럽네요.

수국 그죠? 저는 <노인과 바다>도 원문으로 읽고 싶다는 생각이 간절했어요.

코스모스 정말 이전에는 원문을 읽고 싶다는 생각은 전혀 하지 않았는데, 고전 책을 읽을수록 그런 생각이 더 자주 들어요.

소설 속 궁금증

프리지아 데미안은 정말 어떤 존재일까요? 싱클레어의 내면일까요?

수국 여기에도 다양한 해석들이 나오는 것 같더라고요.

코스모스 저는 데미안이 싱클레어가 동경하고 다다르고 싶은 이상적 존재라고 여겨져요. 소설에서는 '삶에서 중요한 것은 나 자신으로 살아가는 것'이라고 해요. 권위자에게 잘 보이기 위한 것 말고, 타인에게 의지하거나, 회피하지 않으며, 진짜 나로 살아가기 위한 노력을 끊임없이 해 나가야 한다는 것이죠.

모든 사람에게 있어서 진실한 직분이란 다만 한가지였다. 즉 자기 자신에게로 가는 것. – P.172

<데미안>은 수많은 경험, 유혹, 깨달음들을 거치며, 진짜 나로 살아가려고 노력하는 싱클레어의 과정을 보여주는 소설 같아요.

프리지아 싱클레어가 나중에 데미안의 엄마 '에바 부인'을 사랑하잖아요? 그건 어떤 의미일까요?

코스모스 <데미안>의 해설을 보면, 7장에서 '에바 부인'의 의미는 만남과 공동체에 대한 성찰이라고 해요. 우리도 지칠 때 누군가에게 기대고 싶고, 소속감을 느끼며 쉬고 싶어지잖아요. 그런 만남과 공동체의 상징이 데미안의 엄마 에바 부인이지 않았을까요? 우리도 그것에 기대고 싶고, 사랑하며 살고 싶어지죠. 그것은 당연하고 필요한 것이지만, 도피의 일종일 수도 있죠.

프리지아 그럴 수 있겠네요.

오늘의 책수다 소감

코스모스 수선화님 오늘 어떠셨어요? (장난) 지금 남편분과 같이 계시죠? 남편 얼마나 사랑하세요? 이야기해 주세요.

네송이 (빵터짐!)

수선화 사랑이라기보다는 동지애지요. 지금 오디오를 켤 수는 없지만, 남편이 관심받고 좋아하네요.

코스모스	여행지에서 함께하니 덩달아 여행 느낌 나고 너무 좋네요.
프리지아	저는 오늘도 역시 너무 좋았어요. <데미안>은 정말 사색하게 하는 책인 것 같아요. 철학책 같기도 해요. 요즘 고전소설을 읽으면서 '사람에 대해 이렇게까지 들여다볼 수 있을까?'라는 생각을 하게 된답니다.
수국	공감해요. 저는 이번 책 <데미안>이 <인간실격>의 요조의 긍정적 버전 같은 느낌이 들었어요. 싱클레어는 요조보다는 훨씬 평범한 사람이지만 치열하게 내면과 대화하고 사색해 나가죠. 아이에게 이 책 이야기를 들려주고 싶어지네요.
코스모스	아이가 책수다를 좋아하나 봐요?
수국	첫째 아이보다 둘째 아이가 더 좋아하는 것 같아요. 책에 대해 생각하지 못한 소감과 질문을 전하곤 해요.
코스모스	다음에는 리틀 수국님과도 함께 하면 좋겠네요.
수선화	저는 오늘 적극적으로 참여는 하지 못했지만, 너무 알찬 시간이었어요. 여행지에서 참여하니 색다른 느낌이네요. 싱클레어의 내면에 대한 고민이 너무 공감되고, 나를 더 깊이 들여다보는 시간이었어요.
코스모스	저도 너무 좋은 시간이었어요. 프리지아님의 낭독으로 시작한 이 시간이 참 힐링이 되고 좋네요.

지금까지 낭독하는 목소리가 청량한 프리지아, 성경을 향한 마음이 청량한 수국, 사탄을 향한 선입견이 청량한 코스모스, 남편을 향한 동지애가 청량한 수선화였습니다.

4. 자유를 동경하는 삶
– 루이제 린저 <삶의 한가운데>

(1) <삶의 한가운데> 수선화의 책 이야기

의사 슈타인은 자기보다 스무 살이나 어린 니나를 사랑한다. 그는 소녀에서 성숙한 여인이 되기까지 18년이라는 긴 세월 동안 그녀의 곁에서 그녀를 지켜보며 끊임없이 도움을 준다. 그리고 자신의 목숨과도 바꿀 수 있을 정도로 니나를 사랑하지만, 니나의 자유로움까지 사랑하기에 결혼이라는 틀로 그녀를 속박하는 것을 두려워한다. 반면 니나는 슈타인의 마음을 알면서도 애써 표현하지 않는다. 그리고 첫눈에 반한 퍼시 할과의 결혼, 2번의 아이 출산, 반나치즘으로 인한 투옥 생활, 자살소동 등 수많은 비극을 맞이하며, 파란만장한 삶을 산다. 그때마다 슈타인은 백마 탄 왕자님이 되어 그녀를 비극으로부터 구해준다.

> *그녀를 위해 못 할 일이 내게는 없었다. 무제한으로 도와주고 싶은 황홀한 감정이 나를 엄습했다. 마치 젊고 정열적인 애인이 그의 연인에게 당신을 위해 죽고 싶다고 말할 때처럼 미친 듯한 상태, 자기 자신을 버리고 싶은 상태와 같았다.* - P.123

니나는 결혼이라는 틀과 구속을 싫어하며, 혼자 있는 시간이 필요했고, 고독과 자유를 추구하는 사람이다. 어떤 면에서 보면 직설적이며 충동적이고 자기중심적인 사람으로 보일 수도 있다. 하지만 우리 인간은 누구나 자기중심적인 삶을 살아간다. 그러므로 니나의 자기중심적인 성향은 어쩌면 당연함이라 할 수 있다. 니나는 자기의 주장이 확실하고, 정당함을 추구하며, 가끔은 냉소적이지만, 약자 앞에서만큼은 따뜻한 인물이다.

반나치즘 활동과 출산 및 자살소동 등 슈타인의 도움이 필요할 땐 망설이지 않고 도움을 요청하는 뻔뻔함조차 당당함으로 빛나는 니나. 자신의 의견을 소신 있게 표현하고, 살아가는 의미를 삶에 묻기보다 스스로 찾아내야 한다는 주체적인 그녀의 삶. 그런 니나를 보며 부러움과 함께 그녀만의 특별한 매력에 빠져든다.

슈타인 입장에서의 니나는 뻔뻔하고 이기적인 인물이다. 하지만 니나의 이기적인 모습조차도 사랑하는 슈타인. 니나를 지독히도 사랑할 수밖에 없었던 그의 사랑이 안쓰러움과 감동을 자아낸다. 과연 우리 삶에도 이런 지고지순한 사랑이 존재할까? 그리고 일방적으로 주기만 하는 사랑이 과연 순수한 사랑이라고 말할 수 있을까?

<삶의 한가운데>는 슈타인이 쓴 일기 형식의 글이지만, 일기가 편지로 보내져 니나와 니나의 언니가 며칠간 그 일기를 읽으며, 대화를 나누는 특별한 형식을 취하고 있다. 니나의 언니는 배달된 슈타인의 일기를 보면서 과거에 니나와 슈타인에게 있었던 일들, 그리고 니나가 혼자 겪었던 많은 일에 관해 물어보지만, 니나는 무심한 듯 말을 툭툭 내뱉는다. 자기의 일이 아닌 제 3자의 일처럼 대하는 니나의 모습에서 삶에 끌려다니지 않고 스스로 찾아가는 당당한 그녀의 모습이 그려졌다. 이런 형식의 작품을 처음 접하다 보니 특별함이 느껴졌고 남의 일기를

몰래 읽는 듯한 느낌이 들었다.

이 책에서는 인간이 살아가면서 사유해야 할 주제들에 대해 질문한다. 예를 들면, '인간은 왜 고통을 통해서만 지혜에 도달할 수 있을까?, 전혀 원하지 않는데도 왜 현명해져야 하는 걸까?'라는 철학적인 질문들이 있다. 독서를 하면서 니나의 질문들을 통해 사유의 시간을 가질 수 있어서 좋았다.

슈타인은 마지막 일기에서 병으로 인한 고통으로 더는 일기를 쓸 수 없음을 예고한다. 그리고 니나와의 마지막 만남을 끝으로 일기도 마무리된다. 내게는 <삶의 한가운데>가 세상을 떠나는 그 순간까지 오직 니나를 향한 그리움으로, 마지막 음성까지 기억하고자 한 감동적이고, 슬픈 사랑 이야기로 기억될 것이다.

니나는 길모퉁이를 돌아가기 바로 직전에 뒤를 돌아보았다. 마지막 지상에서의 이별의 고통이 엄습해 왔다. 나는 이런 아름다운 만남을 선사한 인생에 감사하다. 니나의 음성이 내가 들은 마지막 음성이고 니나의 눈이 내가 기억하는 마지막 눈이 되리라. - P.406

(2) <삶의 한가운데> 책수다 이야기

책에 대한 감상

코스모스 오늘 책 루이제 린저 <삶의 한가운데>는 제가 추천한 도서입니다. 이 책은 예전에 구매해 놓고 읽지 않았던 도서로 앞쪽 50페이지 정도만 몇 번 뒤적거리기를 반복했어요. 이 기회에 완독해야겠다는 생각으로 추천하게 되었습니다. 이 책에서 나오는 주인공의 연령대가 우리와 비슷한 여성이라는 점도 읽고 싶은 이유 중 하나였어요. 그래서 책수다 멤버들과 함께 읽고, 이야기를 나누고 싶었어요.

수선화   저는 <삶의 한가운데>를 너무 재밌게 읽었어요. 앞부분부터 제 스타일이었어요. 주인공 니나의 입장이 되어 감정이입을 했고, 울컥하기도 했던 책이었어요. 확실히 <태어나지 않은 아이를 위한 기도>보다 좋았어요. 이제까지 13주 동안 읽었던 12권의 책 중에서 <브람스를 좋아하세요...> 다음으로 마음에 드는 책이었어요. 대체로 사랑 이야기가 저랑 맞는 것 같아요.

프리지아   저는 책을 끝까지 다 읽지 못했어요. 슈타인이 죽은 후 언니가 편지를 읽어주는 장면 속에서 플라토닉 사랑 이야기처럼 느껴져서 앞부분만 봐도 너무 좋았어요. <태어나지 않은 아이를 위한 기도>의 선례가 있어서 편지와 독백이 이어지는 방식이 혼란스럽고, 난해하지는 않을까 걱정했는데, 다행히도 이번에는 편지글 스타일도 괜찮았어요. 과거를 회상하는 글들이 영화같이 느껴지기도 했어요.

코스모스   네 송이에게 편지 트라우마가 생긴 건가요?

네송이   (빵터짐!)

수국   저는 일기와 편지 묘사가 참 좋았어요. <브람스를 좋

아하세요...>는 결말 때문에 찜찜한 기억으로 남았었는데, 이 소설은 공감되는 부분도 많았어요. 처음에는 슈타인이 나이 차이가 많은 어린 니나를 사랑하는 것이 부담스럽고, 거부감이 들었어요. 하지만 시간이 지날수록 슈타인의 순수한 사랑과 희생에 빠져드는 기분이었어요. 저도 소설을 끝까지 읽지는 못했고, 앞부분만 읽었는데도 내용의 구성과 묘사, 심리 등 굉장히 다양한 표현들이 인상적이었어요. 이것이 말 그대로 작가의 필력이 아닌가 하는 생각이 들었어요. 특히, 슈타인의 니나를 향한 사랑의 감정이 섬세하게 그려졌는데, 이것은 작가의 필력이잖아요. 참 대단한 것 같아요.

프리지아 맞아요. 섬세한 그 묘사들이 너무 좋았어요.

수국 당시 여성들은 니나 신드롬이 생길 만큼 소설 속 니나에게 감정이입을 했고, 니나의 삶의 방식을 동경했다고 해요.

코스모스 정말요? 어떤 포인트가요? 저는 니나 삶의 어떤 포인트가 동경의 대상이 되는 건지 잘 이해가 되지 않아요.

수선화 저는 니나의 생김새가 너무 궁금해요. 남자들이 그녀의 매력에 반하고, 빠져들고 난리가 아니었어요.

니나의 삶에 대해

수국 니나의 삶은 굉장히 역동적이었어요. 그녀는 강한 것 같으면서도 누군가에게 의지하고 싶었던 것 같아요. 그리고 자유를 그리워하고, 그것이 중요한 여성이었죠. 슈타인도 결국 그녀를 결혼이라는 틀로 구속할 수 없음을 알기에 그녀를 보내준 것 같아요. 그리고 니나는 있는 그대로를 꾸밈없이 표현하는 사람이었어요. 자신의 의견을 과감하게 표현하고, 요구하고, 슈타인에게 돈이 없다는 것과 도와주라는 것을 전혀 비굴하거나, 부끄러워하지 않고 당당하게 요구했어요. 너무도 당연하게요.

수선화 그리고 모든 남자가 그녀한테 반하죠. 첫눈에 남자들의 시선을 빼앗았다고 해요.

프리지아 저는 니나를 생각하면, 예쁜 아이가 때 묻은 것 같은 느낌이 들어요. 정신 사납게 왔다 갔다 하는 뭔가 타락한 연예인 같은 느낌이에요.

수선화 저는 니나의 솔직하고 거침없는 행동이 부러웠어요. 니나를 통해 대리만족을 경험했어요. 저도 타락하고 싶었던 것 같아요.

네송이 (빵터짐!)

코스모스 저는 솔직히 말씀드리면 니나가 좀 재수 없었어요.

네송이 (빵터짐!)

코스모스 니나는 너무 뻔뻔하기도 하고, 슈타인에게도 무례해요. 이건 뭐 팜므파탈의 전형이죠. 이전에 드라마 '사랑의 이해'를 본 적이 있는데, 정말 고구마 백만 개를 먹은 듯한 느낌이었어요. 여주인공이 사랑하는 사람이 있는데도 불구하고, 자신의 자존심과 불안, 열등감 등으로 결국 그와 만나지 않았어요. 사랑하지도 않은 다른 사람과 만나면서 그 사람에게 돈과 집을 내어주며 온갖 희생을 다 하죠. 그리고 자신에 대한 이상한 소문을 퍼트리기까지 하며, 사랑하는 이와 만나면 안 될 이유를 계속 만들어요. '자기 팔자 자기가 꼰다'는 말이 계속 떠올랐어요. 그런데 소설 속 니나가 그렇게 느껴졌어요. 저는 니나가 슈타인을 사랑한다고 생각했어요. 그런데, 굳이 이상해 보이는 사람과 만나서 결혼하고, 온갖 고생을 사서 해요. 그리고 당연하다는 듯 슈타인에게 과한 요구를 해요. 자신을 사랑한다는 이유로 슈타인에게 갑질을 서슴없이 하는 모습이 너무 얄밉기도 하고 그 요구를 다 들어주는 슈타인이 너무 안쓰러웠어요.

프리지아 슈타인이 안쓰럽긴 했어요.

코스모스 저는 소설을 읽으며, 니나의 행동 중 이해가 되지 않던 부분이 크게 두 가지가 있어요. 하나는 니나가 슈타인과 결혼하지 않았던 이유이고요. 다른 하나는 왜 퍼시와 결혼했는지요. 생뚱맞게 만난 지 얼마 되지 않던 퍼시와 결혼한 니나의 마음을 정말 모르겠어요. 퍼시의 집에 방문했을 때 그 가족들의 태도와 집안 분위기를 봐서는 절대 결혼하고 싶지 않았을 것 같은데, 니나는 어떤 마음이었을까요?

수국 그러니까요. 퍼시와의 갑작스러운 만남 후 사랑하는 것처럼 보이지 않았는데, 결혼까지 했어요. 퍼시가 아닌 다른 사람의 아이를 임신까지 한 채로요. 슈타인과 결혼하지 않았던 이유는 니나에게 슈타인은 그저 아버지 같은 존재가 아니었을까 하는 생각이 들었어요. 슈타인은 니나가 자유를 추구하며 살아가기를 바랐던 것 같고요. 니나에게 슈타인은 든든한 보험 같은 존재였어요. 니나는 스스로 한계에 부딪히며 많은 경험을 하려는 여성이었고, 슈타인은 안정적이고, 언제나 그 자리에 존재하는 나무 같은 사람이었죠. 슈타인은 그녀를 너무 사랑했고, 슈타인의 삶 자체가 니나라 해도 과언이 아니죠.

코스모스 니나는 경험이 삶의 이유인 여성처럼 보였어요.

> *너는 다만 위험을 사랑하는 거야. 모험과 생을 사랑할 뿐이지 나를 사랑하는 것은 아니야. - P.225*

> *너는 언제나 극단적인 경우에만 행복을 느끼는 것 같다. 너의 힘이 가장 극단의 한계에 접했을 때만. - P.276*

그녀는 말 그대로 위험을 사랑했어요. 그녀는 삶에 대해 호기심이 넘치고, 어떤 경험이든 직접 해 보려고 하죠. 죽음까지도요. 이 부분이 슈타인과는 아주 상반되는 부분이죠. 슈타인은 생각은 많지만 행동하지 않는 유형이죠. 그래서 슈타인과 니나는 대조를 이루고, 또 서로를 보완하기도 해요. 그들이 함께할 수 없는 이유인 것 같아요.

수선화 맞아요. 니나는 거침없이 경험을 원하는 여성이었어요.

코스모스 니나의 경험주의를 보면 〈싯다르타〉가 떠올라요. 〈싯다르타〉도 수행하는 승려였다가 경험을 통한 깨달음을 얻기 위해 속세의 삶을 선택했고, 매력적인 여성에게 잘보이기 위해 온갖 노력을 다하죠. 키스 한 번 받아보려

고 시를 지어 읊고, 애걸복걸하는 모습이 그의 첫 번째 행
보였죠. 결국 그는 경험과 사색을 통해 차원이 다른 해탈
의 경지에 이르렀어요. 어떻게 보면 두 소설은 각각 주
인공의 가치관은 비슷한데, 전혀 다른 느낌을 전하는 소설인
것 같아요.

책 속의 메시지

수선화   저는 책 속 문장들이 사색을 이끌어서 좋았어요. 공감이
되고 한 번쯤 생각해야 할 만한 질문들을 전해요.

수국   맞아요. 특히 저는 안락사에 대한 문장들이 인상 깊어요.

> *인간을 다른 인간을 위해서 희생시키고, 어떤 인간은 가치
> 있다고 부르고 또 한 인간은 무가치하다고 부르는데, 도대
> 체 그 기준이 어디에 있습니까? (중략) 그리고 가치와 무
> 가치에 관해서 절대적인 확실함을 가지고 판단할 수 있는
> 사람은 누구예요? - P.221*

프리지아   맞아요. 그리고 앞부분에 이런 문장도 있어요.

> *삶의 의의를 묻는 사람은 그것을 결코 알 수 없고, 그것을 한
> 번도 묻지 않는 사람은 그 대답을 알고 있는 것 같아요. - P.26*

수선화   저도 이 부분이 인상 깊었어요.

> *얼마 전에 댁에 찾아갔을 때 나는 얘기할 것이 많았습니
> 다. 그러나 갑자기 그것은 무의미한 일이라고 느껴졌습니
> 다. 사람은 자기 자신에 관해서 얘기해서는 안 됩니다. 순
> 전한 이기주의로 보더라도 안 됩니다. 왜냐하면 마음을 털
> 어버리고 나면 우리는 더 가난하고 더 고독하게 있게 되는
> 까닭입니다. 사람이 속을 털면 털수록 그 사람과 가까워진
> 다고 믿는 것은 환상입니다. 사람과 사람이 가까워지는 데*

는 침묵 속의 공감이라는 방법밖에는 다른 방법이 없는 것 같습니다. - P.131

책수다 소감

프리지아 이 책은 정말 술술 읽혔던 책이었어요. 신식문체 같은 느낌이에요. 교수님이 쓴 책 같지 않고요. 어쩌면 루이제 린저가 1900년대 사람이라 우리가 읽었던 책 중에서는 비교적 젊은 작가라서 그런 것 같아요.

네송이 (빵터짐!) 그렇네요.

프리지아 저는 확실히 상징이 많은 N형의 책보다는 그림을 그리듯 묘사가 이어지는 S형의 책이 더 읽기 좋았고, 공감도 더 잘 돼요. 정리된 내용과 심리적 변화 묘사도 좋았고요.

수선화 공감되는 부분도 많았고, 완전 마음에 드는 책이었어요.

수국 니나의 삶에 대해 다시 생각해 볼 수 있었어요. 작가의 필체가 너무 좋아서 다시 읽어보고 싶은 책이었어요.

코스모스 확실히 같이 이야기를 나눠야 줄거리가 제대로 이해가 돼요. 혼자 읽고 지나쳤으면 많은 걸 놓칠 뻔했네요. 오늘도 역시 책수다 시간은 너무 즐거웠어요.

지금까지 매주 진정성 있게 책을 공부하며, 이야기 할머니가 되어준 수국, 매주 솔직한 후기와 깊은 경청으로 따뜻한 어머니가 되어준 수선화, 주를 거듭할수록 사랑스러움을 장착한 귀염둥이 프리지아, 주를 거듭할수록 다른 관점을 제시하며, 소설의 재미를 더한 코스모스였습니다.

Interview 2. 기대 이상으로 좋은 책

1. 코스모스

　<프랑켄슈타인>은 상상 이상으로 빠져든 소설이다. '이 책을 왜 이제야 읽었나!' 하는 생각마저 들었다. 작가의 손아귀에 마구 휘둘려지는 소설의 압도적 스토리 전개는 감탄을 자아낸다. 소설 속 섬세한 묘사는 괴물이 한없이 불쌍했다가, 금세 소름 끼치도록 무서워지는 감정 변화를 몰고 왔고, 상징적 문장들은 삶에 필요한 질문과 통찰을 담고 있었다. 단언컨대 소설 <프랑켄슈타인>은 우리가 익히 알던 이야기가 아니다. 우리가 알던 괴물이, 우리가 알던 프랑켄슈타인이 아니다. 소설은 예상을 훨씬 뛰어넘는 몰입감과 메시지를 전한다. 메리 셸리가 18세에 이 소설을 집필했다니, 천재라는 찬사가 절로 나온다.

　이 작품은 현대까지 이어지는 화두와 영감을 제공한 점에서 더 주목할 만하다. 인간다움은 무엇인지, 선과 악은 어떻게 구분할지, 강함과 약함의 기준은 무엇인지, 인간의 창조물도 생명이라 여길지, 인간이 창조했으니, 그것을 파괴할 자격 또한 인간에게 주어지는 것인지 등 소설은 삶에 꼭 필요한 질문들을 던지며 나에게 더 진하게 새겨졌다.

2. 프리지아

<프랑켄슈타인>은 거듭되는 반전이 있어 기대 이상으로 좋았다. 영화를 직접 본 것은 아니었지만, 대중들에게 알려진 프랑켄슈타인은 그저 인간에 의한 불쌍한 창작물 정도로 알고 있었다. 또 귀여운 캐릭터들도 많아서 왠지 친근한 이미지를 가지고 읽기 시작했다.

첫 번째 반전은 이 소설은 작가가 18살 때 집필하기 시작했다는 것이었고, 두 번째는 생각보다 지적이고 영민했던 괴물의 모습이었다. 인간들과 어우러져 살고 싶은 괴물이 안쓰럽기도 하고 그저 무섭단 이유로 자신이 만든 창조물에서 도망치려고만 하는 박사가 밉기도 했다.

이 책의 진짜 반전은 내 생각의 변화였다. 처음엔 괴물이 너무 불쌍하고 안타깝게만 느껴졌다. 책을 읽는 동안 책임감, 선택, 사랑, 집착 등에 대한 감정이 떠올랐고, 그중에서도 책임감이란 단어에 더 집중했다. 그래서였을까? 처음엔 박사가 미웠지만, 나중에는 박사의 그 선택이 어쩌면 꽤 책임감 있는 선택이었을지도 모른다는 생각이 들었다.

3. 수선화

<데미안>은 기대 이상으로 좋았다. 헤르만 헤세의 <싯다르타>와 <데미안> 두 작품의 공통점은 자신의 내면을 다룬 작품이라는 것이다. '너 자신만의 길을 가라'는 데미안의 메시지를 통해 내 삶의 주인으로 살아가고자 하는 주체적인 삶의 목표가 생겼다. 평소에 나 자신의 내면에 대한 관심이 많았고, 그래서인지 내 안의 데미안을 만나는 경험을 하며, 내게는 기대 이상으로 좋았던 도서로 남았다.

가장 반전이었던 도서는 <브람스를 좋아하세요...>로 자신을 열정적으로 사랑하는 연하의 연인 시몽을 뒤로하고 자신을 늘 외로움과 끝없는 기다림으로 고독의 시간을 보내게 하는 오래된 연인 로제에게 돌아간 폴의 선택이 반전이었다. 폴은 로제의 뻔한 행동을 예측하면서도 단지 오래된 만남으로 인한 편안함과 익숙함을 선택한 게 아니었을까?

과연 나는 폴과 같은 상황이었다면 설렘과 익숙함 사이에서 어떤 선택을 했을까?

4. 수국

기대 이상으로 좋았던 책은 <호밀밭의 파수꾼>이다. 처음
에는 격렬한 사춘기를 겪는 아이의 자신도 알지 못하는 내면
을 정돈되지 않은 날것 그대로 드러내는 모습을 보며 당황스
러웠다. 보는 독자가 부끄러운 상황… 그렇지만 이런 어설픔
은 이 세상을 향한 아이의 표현이었을 뿐이다. 소설을 읽으며,
그가 점점 더 안쓰러워졌다. 아이들은 부족한 인간이 아니라
성장 중인 인간이라는 생각을 다시 한번 강하게 하게 되었다.

가장 반전이었던 책은 <프랑켄슈타인>이다. 책 띠지의 '과
학기술로 자멸해 가는 인류에 던지는 경고'는 퍽 매혹적이었
다. 그러나 책을 읽은 후, 과학보다 오히려 사회에서 약자에게
가해지는 상황에 대한 불합리함을 생각하게 되었다. '타고난
어려움 속에서 저지르는 죄는 용서받아야 할까? 같은 무게로
처벌해야 할까? 구제할 방안은 무엇일까? 사회적 안전망은
어디까지 책임져야 할까?' 하는 생각이 가지에 가지를 뻗어
마음이 무거워졌다.

고전이 꽃피는 독서모임
네송이의 책수다

PART 3

어려움 없는
관계가 있을까?

Part 3. 어려움 없는 관계가 있을까?

1. 설렘 vs 익숙함
- 프랑수아즈 사강 <브람스를 좋아하세요...>

(1) <브람스를 좋아하세요...> 수선화의 책 이야기

주인공 폴의 직업은 실내 장식가로, 오랜 시간 함께한 연인 로제에게 일방적인 애정을 가지고 있다. 그녀는 오랫동안 함께한 익숙함과 자연스러움에 그가 아니면 안 될 것 같다고 생각한다. 하지만 로제는 폴과 달리 자유를 좋아하고, 구속을 싫어하며 젊고 아름다운 여자들과의 만남을 통한 즐거움을 원한다. 아주 가끔 폴을 찾는 이유는 안정이 필요할 때뿐이다. 그로 인해 폴은 오랜 연인 로제가 옆에 있음에도 늘 외로움과 고독함으로 하루하루를 보낸다. 그러던 어느 날 실내 장식을 의뢰한 고객의 집 방문을 통해 젊은 연인 시몽과의 첫 만남이 이루어진다. 순수하고 열정적으로 폴을 사랑하는 젊은 청년 시몽을 통해 자신이 누군가에게 사랑받고 있음을 느낀다. 다른 한편으로는 스물다섯의 젊은 연인 시몽의 적극적인 사랑과 열정적인 모습에 새로운 사랑에 대한 호기심과 불안함을 느낀다.

> *어쩌면 그녀는 로제를 진정으로 사랑하는 것이 아니라, 사랑한다고 여기는 것뿐인지도 몰랐다. 아무튼 경험이란 좋은 것이다. 좋은 지표가 되어준다. - P.61*

폴의 불안감은 시몽과 자신의 14살의 나이 차이에 대한 두려움 그 이상이었다. 그녀의 마음을 무겁게 한 것은 다름 아닌 주변 사람들의 모욕적인 시선들이었다. 새로운 연인과 오랜 연인 사이에서의 복잡미묘한 감정이 오가는 내면의 갈등 속에서 과연 어떤 선택이 폴의 행복을 지켜줄 수 있을까? 과연 나라면 어떤 선택을 했을까?

<브람스를 좋아하세요...>는 제목에서 느껴지는 신선함으로 남녀의 풋풋한 사랑 이야기임을 짐작할 수 있다. 일반적인 고전은 묵직한 내용을 통해 깨달음과 지혜를 얻을 수 있지만, <브람스를 좋아하세요...>는 다른 사람의 연애를 옆에서 지켜보는 신선함과 그 속에서의 설렘, 두근거림을 간접적으로 체감할 수 있다. 프랑수아즈 사강만의 섬세한 문체와 행동 하나 하나의 묘사는 그 상황을 재현하는 듯 상상이 가능했고 남녀 주인공의 사랑하는 감정의 묘사 또한 표현이 남달랐다. 프랑수아즈 사강이 스물네 살에 쓴 작품이라고 하기엔 믿겨 지지 않을 만큼 탄탄함이 느껴진다. 책을 읽을 때, 마치 내가 주인공 폴이 되어 연애하는 기분이 들었던 기억이 난다. 폴을 열정적으로 사랑하는 순수한 시몽의 사랑을 보며, 함께 열정적인 사랑의 감정을 느꼈고, 로제의 이중적인 모습과 본능적으로 폴을 찾아오는 부분에서는 불같이 화를 냈다. 오랜 연인 로제를 일방적으로 사랑하는 폴의 모습을 보고 답답함이 들며, 그녀의 외로움과 고독함까지 함께 느낄 수 있었다. 소설의 마지막 반전은 그녀가 난해하고 모호한 사랑 속에서 오랜 만남으로 인한 편안함과 익숙함만을 쫓으며 하게 된 선택은 아니었을까.

이 작품의 주인공을 통해 기쁨과 슬픔, 행복과 불행을 체감할 수 있었다. 우리가 살아가는 삶 속에서 있을 법한 이야기지만, 프랑수아즈 사강만의 특별함과 섬세함으로 그려낸 소설이라 더 깊게 빠져들었다. 시몽의 순수함과 열정적인 사랑으로 폴의 행복이 영원할 것으로 생각했다. 하지만 그녀는 결국 다른 선택을 한다.

사랑뿐만 아니라 우리의 일상생활에서도 새로운 도전과 안정적인 익숙함 사이에서 혼란과 갈등이 있기 마련이다. 새로운 도전에 따른 설렘과 신선함이 있을 수 있지만, 그에 따른 두려움과 불안함은 함께 가져가야 할 몫이기도 하다.

나는 새로움을 받아들이기 힘들어하는 편이다. 그래서 변화 앞에서 더 주춤하게 된다. 늘 안정을 택하다 보니 기회를 기회라고 인지조차 하지 못할 때가 많았고, 놓치는 경우는 말할 것도 없다. 그런 사실을 알기에 폴의 마음을 이해하고 공감하기도 했다. 나는 폴의 외로움과 고독함을 채워 줄 수 있는 젊은 연인 시몽과의 사랑을 바랐을지도 모른다. 그래서 더 아쉬움과 안타까움이 느껴졌다. 로제가 폴을 대하는 태도와 이중적인 모습을 봤을 때 절대 폴만을 사랑할 수 있는 사람이 아님을 알기에 폴의 선택이 잘못되었다고 느껴진다. 한 번 더 로제를 믿어보려는 폴의 마음이 그저 안쓰러움으로 다가왔다. 책을 읽고 찜찜함으로 마무리하기는 처음이지만, 늘 해피엔딩만 존재함은 아니기에 오랜만에 주인공들을 통해 연애의 감정을 느껴 볼 수 있었다.

(2) <브람스를 좋아하세요...> 책수다 이야기

책수다 시작 전

수국 제가 오늘은 아이 학교를 데려다줘야 해서 이동하면서 참여해야 할 것 같아요. 버스를 타고 이동해야 해서 마이크는 켤 수 없을 것 같아요. 죄송합니다.

코스모스 괜찮아요. 대신 수선화님 때처럼 차 안에서 답하기 곤란한 질문을 골라봐야겠네요. 마침, 오늘 책이 <브람스를 좋아하세요...> 입니다. 첫사랑 이야기 들어볼까요.

수국 (당황) 청강만 가능할 것 같은데 어쩌죠?

책에 대한 감상

코스모스 오늘 책은 프랑수아즈 사강 <브람스를 좋아하세요...>입니다. 이 책을 선정한 수선화님께 선정 이유를 들어볼게요.

수선화 이 책은 제 딸이 추천해 준 책이었어요. 고전은 늘 묵직한 내용이 담겨있고, 깊은 사색이 좋기는 하지만, <브람스를 좋아하세요...>처럼 가끔은 다른 이야기를 나누고 싶다는 생각이 들었어요.

코스모스 따님이 20대죠? 엄마와 딸이 함께 책에 관한 대화를 나누고, 서로 책 추천을 하면 좋을 것 같아요.

수선화 딸이 책을 추천해 줘서 개인적으로 도움을 많이 받고 있어요. 제가 책에 관심을 두기 시작하면서 나눌 이야기들이 많아져서 좋아요.

코스모스　따님은 주로 어떤 책을 읽어요?

수선화　고전과 문학을 주로 읽고, 자기계발서는 그다지 좋아하지 않아요.

코스모스　그렇군요. 오늘은 수선화님의 따님 추천 도서였네요. 읽고 나서 어떠셨어요?

수선화　술술 재미있게 잘 읽었는데, 끝부분에서 너무 화가 났어요. 폴은 왜 그런 선택을 하게 되었을까요? 너무 이해가 안 되고, 답답하기까지 했어요. 그리고 로제로 인해 남자 마음에 대해서도 생각해 봤어요.

코스모스　그렇군요. 프리지아님은 이 책에 빠져들어서 보셨던 것 같은데 어떠셨어요?

프리지아　저는 폴과 비슷한 경험이 있어서 감정이입이 되었어요. 결말에서 폴의 결정에 대해서도 이해 되었죠. 그리고 이 책은 고전의 편견을 깬 책이었고, '고전이 이렇게 설렘을 줄 수 있고, 이렇게 몰입할 수도 있구나.'라고 생각했어요.

코스모스　저도 그래서 고전을 처음 읽기 시작하는 사람들에게 <브람스를 좋아하세요...>를 추천합니다. 고전에 대한 편견을 깰 수 있는 가장 적합한 책이 아닌가 싶어요.

폴은 결국 왜 로제에게 돌아갔을까?

코스모스　폴에게는 오래된 연인 로제가 있었고, 둘은 권태기 같았어요. 특히, 로제는 폴의 소중함을 모르고, 너무 하찮게 그녀와의 관계를 생각했던 것 같아요. 그 시기 폴에게 14살 어린 연하의 청년 시몽이 다가오죠. 그런 시몽에게 폴도 분명 흔들렸고, 결국은 연인 사이로 발전하고 동거까지 했어요. 그런데 결국 폴은 로제에게 돌아가요. 시몽은 여전히 그녀를 사랑했고, 그녀를 위해 최선을 다했는데도 말이죠. 왜 폴은 로제에게 돌아갔을까요? 폴은 어떤 마음으로 돌아간 걸까요?

프리지아　아마도 폴은 익숙함이 그리웠던 것 같아요. 로제의 옆에 있는 자기 모습이 너무 당연하고, 자연스럽게 느껴졌을 것 같아요. 그의 옆자리에 있는 그 자체만으로도 안정감을 느끼게 되는 거죠. 저는 오랫동안 만나왔던 친구가 있었고, 헤어져 봤지만, 결국 너무 자연스럽게 다시 만나고, 다시 자리로 돌아갔을 때 특별한 것이 없었지만, 정말 내 자리를 찾은 것처럼 편안했어요. 그리고 결국 소설 속 이야기처럼 진행되었죠.

코스모스　저도 오랫동안 만났던 친구가 있었는데, 그와 1년 정도 헤어졌어요. 헤어져 있는 동안 그를 많이 그리워하지도 않았어요. 그저 상관없는 사람으로 각자의 삶을 살았죠. 그렇게 서로를 잊고 살았는데, 거짓말처럼 어느 순간 그 친구와 다시 연락하고, 너무 당연하다는 듯이 그 친구와 재회하게 되더라고요. 정말 너무 자연스러웠어요. 그 친구 생각이 그렇게 자주 나지 않았는데, 어느 순간 정말 짧은 메시지만으로 너무 쉽게 다시 만나게 되었어요.

프리지아　맞아요. 익숙하다는 것은 그런 것 같아요. 너무 자연스럽게 서로에게 스며드는 거요.

코스모스 소설 속에서 어떤 부분이 가장 설렜는지 이야기 나눠 볼까요?

수국 그런데 저는 그렇게까지 설렘이 느껴지지는 않았어요.

코스모스 (빵터짐!) 맞네요. 제가 설렌다는 전제로 질문했네요. 설레지 않을 수도 있어요. 저는 설렘 포인트가 참 많았거든요. 특히, 그 부분이요. 5장에서 시몽이 "당신 뒤에 있어요."라고 말하는 부분이요. 제가 폴이 된 듯 완전 감정이입이 되었어요. 나에게 직진 중인 잘생긴 연하남과 좁은 공간에 함께 있는데, 불빛이 꺼지고, 전등 스위치를 찾고 있는데, 나지막하게 그가 속삭이는 거죠. 으~ 폴은 시몽이 자신을 덮칠 거라는 상상과 함께 불안을 느끼긴 했지만, 어쩌면 심쿵한 것을 그렇게 표현한 것 같기도 해요.

프리지아 맞아요. 저도 그 부분이 정말 설렜어요. 저는 폴의 감정 변화를 묘사하는 부분이 좋았어요. 연하남 시몽에 대해 그저 잘생긴 연하남의 존재로만 생각하다가 점점 그의 저돌적 고백에 마음이 동요되는 과정들이 너무 공감되고 설렜어요.

코스모스 저는 몇 년 전부터 '어쩌다 발견한 하루'라는 드라마에 출연한 '로운'이라는 배우에게 빠졌는데요. 저랑 띠동갑이더라고요. 나이 차이가 한참 나는데도 너무 좋아지니깐 유튜브 영상과 방송을 찾아보며 덕질을 하게 되더라고요. 무대에서 춤추는 영상을 보는데 그 모습이 너무 멋있는 거예요. 한동안 '로운앓이'를 했었죠. 그래서 저는 이 소설을 읽을 때, 우리 로운이를 생각하며 몰입했던 것 같아요. 생각만 해도 심장이 두근거려요.

네송이   (빵터짐)

프리지아   저는 시몽의 감정 변화를 묘사한 부분도 너무 설렜어요. 폴을 향한 감정의 혼란과 '나는 누구인가?' 생각하며 고뇌하는 장면까지도 너무 섹시한 느낌이었어요.

우리에게 설렘을 주는 드라마들

프리지아   저는 최근에 '닥터슬럼프'라는 드라마에 빠졌어요. 오랜만에 드라마를 보게 되었는데, 두 주인공의 티키타카가 제게 설렘으로 다가왔어요. 저는 드라마가 완결이 나올 때까지 기다렸다가 몰아보기를 하는데, 이 드라마는 완결까지 나온 것으로 착각해서 보기 시작했어요. 아직 진행 중이더라고요. 그래서 어쩔 수 없이 본방송을 기다렸다가 챙겨 보는데, 나름 기다리는 재미가 있었어요.

코스모스   '닥터슬럼프' 저도 유일하게 보는 드라마에요. 주인공이 우울증에 걸리는데, 내용이 너무 어둡지 않으면서, 자기 내면을 들여다보는 깊이 있는 내용이었어요. 유쾌함을 너무 자연스럽게 버무려 놓았어요. 시나리오도 좋고, 주인공 역할을 잘 살렸다는 생각이 들며, 여러 가지로 공감 가는 드라마였어요. 저는 봤던 드라마를 계속 반복해서 보는데, 봤던 책을 다시 보면 새로운 문장이 보이듯, 봤던 드라마도 다시 보면 새로운 장면과 대사가 눈에 들어오더라고요. 그래서 다음 장면 대사까지 외우는 드라마도 있는데, 그게 '도깨비'예요. 제 인생 드라마예요.

프리지아 제 남편도 '도깨비' 너무 좋아해요. 남편은 이번에 '닥터 슬럼프'도 같이 봤는데, 드라마 취향이 저랑 잘 맞더라고요.

코스모스 제 남편은 유일하게 챙겨 보는 프로그램이 뭔 줄 아세요?

수선화 뭘까요?

코스모스 '나는 솔로다'요. 본방 사수하고, 다시 보기하고, 짧은 영상을 찾아서 또 보며 재미있어해요. 근데 그중에서 좋아하는 테마가 뭔 줄 아세요?

수국 뭔데요?

코스모스 '돌싱편'이요. 이건 뭐 대리만족을 느끼는 건지 '돌싱편'이 재밌다고 계속 이야기해요.

네송이 (빵 터짐!)

프리지아 제 남편도 '나는 솔로다' 프로그램 좋아해요. 제 남편이 옆에서 이야기를 워낙 자주 해서, 어떻게 진행되고, 어떤 사람들이 출연했는지 거의 알아요. 제 남편은 그 프로그램에 다양한 캐릭터를 가진 사람들이 출연하고, 관계 속에서 생길 수 있는 갈등과 치열한 다툼들이 인상적이라고 하더라고요.

코스모스 맞아요. 저도 그 프로그램을 본 적은 없지만, 남편이 워낙 자주 내용을 얘기해서 알게 되었어요.

소설의 주요 포인트

코스모스 <브람스를 좋아하세요...> 소설을 통해 생각해 볼 부분은 크게 4가지였어요. 첫 번째는 오랜 연인과의 관계에서 느끼는 권태감과 서운함이죠. 폴은 로제를 늘 배려하지만, 로제는 폴을 아무렇지 않게 가장 후 순위로 배제하죠. 오랜 연애와 결혼 생활에서 느끼는 감정들이죠.

수국　맞아요. 폴이 로제의 보호자 역할을 하는 듯한 상황과 오랜 연인이면서 상대에 대한 책임과 의무를 다하지 않는 것으로 인해 불편한 마음이 들었어요.

코스모스　그리고 두 번째는 시몽이 주는 설렘이죠. 그의 등장으로 폴의 일상은 새로운 변화를 맞이하고, 그를 향한 감정이 동요되는 과정을 섬세하게 표현해서 더 빠져드는 것 같아요.

프리지아　맞아요. 그리고 중간쯤 시몽이 약간의 방황을 하죠. 폴과 동거를 시작하면서 어린아이 같은 모습을 보이기도 하고, 그런 모습들로 인해 폴은 시몽을 온전히 이상적 인물로 바라보지 않았어요. 자기관리가 철저하고, 일에 있어서 단단함을 보였던 로제와 비교되고, 그를 떠올리게 하는 포인트가 되죠. 소설에서 시몽은 현실적인 결핍을 가진 인물이었고, 폴이 시몽과의 생활에 완전히 빠져들 수 없는 계기가 되기도 하죠.

코스모스　등장인물들의 이면적인 모습들을 보여주는 것으로 이 소설의 몰입과 재미를 더해주는 것 같아요.

수선화　정말 그래요.

코스모스　세 번째 포인트는 당연함으로 여겼던 사람이야말로 빈자리의 영향력이 엄청나다는 것이죠. '옆에 있을 때 잘하자'라는 교훈이 잘 드러난 소설이죠. 로제가 폴과 헤어지고 폴을 그리워하는 부분은 정말 쌤통이었어요. 물론 로제는 폴과 헤어진 후 욕망의 여신과 나름의 좋은 시간을 보내지만, 그 속에서 헛헛함을 느끼기도 하죠.

수국 맞아요.

코스모스 마지막 포인트는 결국 인간은 익숙한 곳으로 다시 돌아간다는 것이죠. 너무 당연하다는 듯이 익숙함을 선택하죠. 물론 그게 잘못된 것은 아니지만, 익숙함을 찾아가는 것이 폴의 경우처럼 정답이 아닐 수 있어요. 가령 남편에게 폭력을 당하고도 그런 환경이라도 익숙하기에 안정감을 느끼는 사람도 있다고 들었어요. 물론 폭력이 주는 공포와 심리적 압박이 어마어마하고, 복합적인 이유가 있지만, 종종 폭력적인 상황이라도 그것이 주는 익숙함 때문에 벗어나지 못한다고 해요. 우리는 익숙한 것과 새로운 것 사이에서 다양한 선택의 갈림길에 서곤 해요. 나에게 어떤 것이 소중한지, 최선인지 진중히 생각하는 시간이 필요해요. 당연함과 익숙함만을 쫓아가는 것은 아닐지, 다시금 질문을 던져봐야 해요.

책수다 소감

프리지아 오늘 책은 가벼운 내용이라 더 즐거웠어요. 네 송이의 연애 이야기와 드라마 이야기까지 정말 재밌었어요.

수선화 이 책은 책장을 가볍게 넘기며 읽었던 책이었어요. 그런데 마지막에 너무 답답하고 화가 날 지경이었어요.

수국 우리가 이전에 읽었던 책들이 내면을 만나는 내용이 많았어요. 그런데 이번 책은 우리의 내면을 사랑이라는 감정과 관계 속에서 찾아가죠. 무엇보다 이 책은 안정감이 서글픔으로 느껴졌어요. 솔직히 이 책의 결말은 말 그대로 너무 짜증 났어요.

코스모스 이번 책 선정 타이밍이 참 좋았어요. 우리가 다양한 고전들을 읽고 특히, <인간실격>에서 에너지 소모가 컸는데, 이 책으로 분위기가 전환되었어요. 그리고 수국님 덕분에 함께 산책한 기분이 드네요.

수국 저도 색다른 경험이었어요. 너무 재미있네요.

지금까지 소설에 무한 공감한 프리지아, 소설 속 연하남에 설렌 코스모스, 소설의 심리묘사에 빠져든 수선화, 소설의 결말에 짜증 난 수국이었습니다.

2. 오만한 신사 vs 당찬 아가씨의 로맨스
- 제인 오스틴 <오만과 편견>

(1) <오만과 편견> 수국의 책 이야기

<오만과 편견>은 책보다 드라마와 영화가 더 유명하다. 1995년 BBC에서 나온 드라마에서는 다아시 역의 콜린 퍼스가 유명해졌고 2006년에 나온 영화에서는 엘리자베스역의 키이라 나이틀리가 강렬한 인상을 남겼다.

<오만과 편견>은 제인 오스틴의 소설로, 영국 문학 로맨스 소설의 대표 고전이다. 상류 계급의 오만한 신사와 평범한 베넷 집안의 명랑하고 똑똑한 숙녀가 서로의 편견을 극복하고 결혼에 골인하는 이야기다. 현대 우리의 시각에서는 뻔한 이야기처럼 보일 수 있지만, 이 작품이 큰 성공을 거두며 이후 많은 로맨틱 영화와 소설의 원형이 되었다.

19세기 유럽에서의 결혼은 철저히 가문과 가문의 결합이었다. 재산, 계급, 명성, 외모 같은 외적 조건들이 중요한 요소였다. 반면, 서로에 대한 호감 같은 내적 조건은 결혼 후에 생기는 것으로 여겨졌다.

<오만과 편견>의 이야기는 베넷 가문의 다섯 딸을 중심으로 전개된다. 주인공 엘리자베스 베넷은 쾌활하고 영리하며 독립적인 성격으로, 당시 여성들에게 요구되던 전통적인 역할에 도전한다. 엘리자베스의 어머니

는 딸들을 좋은 혼처로 결혼시키려 열중하고, 아버지는 이를 조용히 지켜보며 유머러스하게 대응한다. 마을에 부유한 독신남 찰스 빙리와 그의 친구 피츠윌리엄 다아시가 이사 오면서 이야기가 본격적으로 시작된다. 빙리는 엘리자베스의 아름다운 언니 제인과 사랑에 빠진다. 반면, 다아시는 첫 만남에서 엘리자베스를 무시하며 오만한 태도를 보이고, 엘리자베스는 다아시의 태도에 반감을 품는다.

이후 다아시는 점점 엘리자베스에게 끌리지만, 엘리자베스는 그를 거부한다. 다아시는 엘리자베스에게 청혼하지만, 그녀는 그의 나쁜 첫인상과 자신이 소중히 여기는 사람들에게 해를 끼친 행동 때문에 이를 거절한다. 다아시는 상처받지만, 엘리자베스에게 자신의 진심을 보여주기 위해 노력한다. 다아시는 자신의 오만함을 반성하고, 엘리자베스의 가족에게도 친절을 베풀며 그녀의 마음을 다시 얻기 위해 애쓴다. 결국 엘리자베스는 다아시의 진심과 변화를 깨닫고 그와 사랑에 빠진다.

> *그녀는 꼬박 두 시간 동안 잠들지 못하고 자기감정을 정리해 보려 애썼다. (중략) 전날 겪어 보았다시피 주변 사람들에게 높이 평가될 뿐 아니라 성격이 좋은 면까지 도드라지자 그녀의 마음속에 존경심이 확고하게 자리 잡았다. 그러나 존경과 존중보다 더욱 간과할 수 없는 호감의 동기가 하나 있었으니, 그것은 감사였다. 자신을 사랑했다는 데 대한 것뿐 아니라 청혼을 거절하던 당시 화가 나서 거칠게 쏘아 대면서 퍼부은 모든 부당한 비난들을 용서해 줄 정도로 여전히 사랑하고 있다는 데 대한 감사였다. - P.357*

주인공 엘리자베스가 '가치관이 맞지 않아 존경할 수 없다'라는 이유로 결혼을 거부하는 것은 당시 기준에서는 파격적이었다. 자신의 가치관을 위해 사회가 중요시하는 가치를 거절하는 주인공이라니! 게다가 지위가 낮은 여성의 판단을 옳다고 받아들이고 자신의 가치관을 반성하며 성장하는 남자 주인공도 마찬가지이다. 두 주인공이 서로를 보며 성장하는 과정이 이 이야기를 로맨스 소설의 고전으로 만든 것이 아닐까.

자신의 부족함을 솔직하게 드러내고 인정할 줄 알고, 유쾌하고 당차며 원하는 것이 손에 들어왔을 때 감사하는 마음으로 꽉 잡을 줄 아는 엘리자베스. 자신의 오만함과 무례함을 솔직하게 인정하고 사과하며 상대를 기다릴 줄 아는 다아시. 이 책은 등장인물만으로도 로맨스 소설의 정수를 보여준다.

(2) <오만과 편견> 책수다 이야기

책에 대한 감상

프리지아 이거 벽돌 책이었어요! 총 559페이지네요?

수국 저는 이전 책 <브람스를 좋아하세요...> 보다 <오만과 편견>이 훨씬 더 제 스타일이었던 것 같아요. <브람스를 좋아하세요...>는 너무 현실적이고 실제 일어날 것 같은 일이라 빠져들게 되어 짜증나고, 답답했는데, <오만과 편견>은 막장 드라마처럼 내 일이 아닌 것 같은 느낌으로 멀리서 흥미진진하게 관망할 수 있었어요.

코스모스 <오만과 편견>은 점 하나 찍고 나타나서 남편에게 복수하는 막장 드라마 '아내의 유혹' 같은 느낌이고,

<브람스를 좋아하세요...>는 사랑을 둘러싼 현실적인 감정 변화와 주변 상황에 대한 내면적 고민이 버무려진 '밥 잘 사주는 예쁜 누나' 같은 느낌이에요. 그래서 <오만과 편견>은 흥미진진하게 먼 이야기처럼 구경하고, <브람스를 좋아하세요...>는 그 속에 빠져들어 감정적 몰입이 되어 결말을 향한 불편한 감정까지 따르게 되는 것 같아요.

수국   정말 그랬던 것 같아요.

코스모스   수국님께 선정 이유 한 번 들어볼게요.

수국   영미권 소설 중 대표 소설로 미국권은 <위대한 개츠비>를 꼽고, 영국에서는 <오만과 편견>을 꼽아요. 그래서 어떤 소설인지 너무 읽어보고 싶었어요. 이 소설은 영국 BBC에서 1995년도에 드라마로 방영되기도 했는데, 시청률이 40%가 넘었다고 해요. 어마어마한 인기를 끌었죠. 저는 드라마를 요약한 영상을 봤는데, 드라마에서 다아시 역을 맡은 콜린 퍼스가 매력적이어서 다아시가 무척 기대되었어요.

코스모스   저는 <오만과 편견>을 영화로 먼저 봤었는데, 영화가 그렇게까지 와닿지는 않았어요. 남자 주인공이 제게는 별로 매력적이지 않았거든요. 그래도 여주인공 엘리자베스는 정말 예뻤어요. 소설을 읽으니, 키이라 나이틀리가 얼마나 엘리자베스에 적합한 배우였는지, 더 와닿았어요. 키이라 나이틀리가 너무 매력적이고 예쁘고, 살짝 각진 턱을 가졌잖아요. 엘리자베스의 자존심 강하고, 당찬 이미지와 너무 잘 어울리는 것 같아요.

수국　맞아요. 너무 예쁘고 잘 어울려요. <오만과 편견>은 흥미진진한 막장 드라마 같아요. 정말 말도 안 되는 설정들이 이어지잖아요. 엘리자베스의 엄마는 엄청난 속물이에요. 해도 될 말과 하지 말아야 할 말을 구분하지 못하죠. 그리고 엘리자베스의 동생들, 특히 리디아는 못 말리는 푼수죠. 그런데 또 엄마는 리디아를 제일 예뻐해요.

코스모스　어쩌면 엘리자베스의 엄마와 가장 비슷한 인물이 리디아인 것 같아요. 자신과 닮은 그 모습이 퍽 마음에 드는 모양이에요. 소위 죽이 잘 맞는다고 하죠.

수국　맞아요. 두 인물이 너무 닮았어요.

소설 속 인물 구조

수선화　저는 소설의 시대적 분위기가 정말 몰입이 안 되었어요. 그들의 대화도 따라가기 힘들고 이름도 너무 어려워요.

코스모스　맞아요. 저는 샬롯이 엘리자베스 동생 중 하나인 줄 알았어요. 근데 친구였더라고요? 동생이 몇 명인지도 헷갈리고 엘리자베스도 불리는 별명이 너무 많아요.

수국　엘리자베스 자매를 보면, 첫째는 자매 중 가장 예쁘다는 제인이고, 둘째가 우리 엘리자베스죠. 그 밑으로 동생은 3명 메리, 캐서린, 리디아가 있어요. 메리는 못생긴 동생이고, 존재감이 거의 없어요. 캐서린은 키티라고도 불리며 귀여운 인물로 묘사되고 지식이 부족해요.

리디아는 이야기한 것처럼 엄마인 베넷 부인과 가장 비슷하죠. 캐서린과 리디아는 항상 붙어 다니죠.

코스모스 엘리자베스의 호칭도 정말 많아요.

수국 리지라고 불리기도 하고, 샬롯은 일라이자라고 부르죠.

코스모스 샬롯만 일라이자라고 부르는 거죠?

수국 그랬던 것 같아요. 그리고 엘리자베스의 엄마는 베넷 부인이고, 그 남동생이 런던에 사는 가디너 부부이고, 여동생이 메리턴 마을에 사는 필립스 부부입니다. 인물들을 부르는 호칭도 많고, 인물들이 복잡하게 얽혀 있어서 종잡을 수 없는 것 같아요.

코스모스 그래도 수국님은 인물을 다 아시네요. 저는 포기하고, 대충 눈치로 맥락만 파악했어요.

수국 저는 노트에 적으면서 정리하면서 읽었어요. 저도 너무 어렵더라고요.

코스모스 멋지세요. 노트에 적으신 것 공유 좀 부탁드려요.

수국 네~ 기꺼이 공유할게요.

소설 속 에피소드

코스모스 저는 콜린스가 엘리자베스에게 청혼해서 엘리자베스가 거절하는데, 계속 콜린스가 예의상 거절하는 거라고 받아들이는 부분이 참 어이도 없으면서 답답하더라고요. 이렇게까지 싫다고 하는데, 그걸 자기 마음대로 해석하고, 우기는 것이 참 황당했어요.

수국   맞아요. 드라마에서도 콜린스 역할을 한 사람은 가르 마를 이상하게 나누고, 모지리 같이 나와요.

코스모스   '모지리'라는 단어 참 오랜만이네요! (웃음)

수선화   맞아요. 모지리! (웃음)

코스모스   그리고 엘리자베스가 언니 병문안을 가려고 비 온 후 신발에 진흙을 묻혀가며 빙리의 집으로 가잖아요. 사 람들이 그런 엘리자베스를 보고 놀라는데, 그것도 이 해가 안 갔거든요. 이게 그렇게까지 놀랄 일인가 했어 요. 언니 보러 올 수도 있잖아요. 그리고 아프다고 남 의 집에서 오래 머물며 치료한다는 것도 이해가 안 갔 어요. 집에 가서 치료하는 것이 나을 것 같은데 말이 죠. 민폐 같기도 하고, 불편할 것 같기도 해서요. 그런 데 당연하다는 듯 빙리의 집에서 치료를 받죠.

수국   베넷 부인이 의도하잖아요. 빙리가 부자이니, 그의 집 에 더 머물도록 하려고요. 비가 올 것 같으니, 말을 타 고 가라고! 감기 걸려야 한다고 말이죠.

코스모스   맞아요. 엘리자베스가 베넷 부인에게 언니가 괜찮은지 보러 가자고 했는데 끝까지 안 가잖아요. 언니 안 죽 는다며, 오히려 잘 됐다고 좋아하죠. 나중에는 돌아올 마차를 보내 달라고 했더니, 마차도 안 보내줘요. 거기 에 더 있으라고. 그러고 보니 소설 속에서 빠질 수 없 는 인물이 베넷 부인 같아요. 베넷 부인의 그 예의 없 고, 야심에 차고, 실리를 추구하는 욕망으로 사건들이 더 흥미진진하게 전개가 되죠.

수국　맞아요. 베넷 부인을 꼭 닮은 딸 리디아도 결국은 큰 사고를 치죠.

수선화　오호~~ 뒤의 이야기가 정말 궁금해지는데요.

코스모스　맞아요. 그리고 소설 속에서 엘리자베스와 빙리양이 방 안을 걷는 장면이 있어요. 영화에서도 그 장면을 봤어요. 다아시도 함께 걷자고 했더니, 다아시가 그들이 걷는 것은 두 가지로 이유가 있으니, 자신이 함께 걷는 것은 방해가 될 것이라고 하죠. 한 가지는 두 사람은 자신의 자태를 다른 사람에게 감상하게 하려는 목적이고, 다른 한 가지는 둘이 은밀한 이야기를 하고 싶을 것이라고요. 그런데 저는 자태를 감상하게 하려는 목적이라는 말을 그렇게 직설적으로 표현하고, 그것을 또 아무렇지도 않게 받아들이는 그들의 대화 방식이 좀 당황스러웠어요. 그런데 소설을 읽으니, '그렇게 표현하는 분위기구나' 하는 생각과 그 전후 인물의 생각들을 보고, 조금은 더 자연스럽게 상황의 분위기가 이해가 갔어요. 그런데 다아시와 위컴의 사이에는 대체 무슨 일이 있었던 거죠? 1부까지 봤을 때는 오해가 아직 안 풀렸어요.

수국　스포해도 되나요? (웃음) 위컴의 부친은 다아시 집안의 재산을 관리하는 사람이었고 다아시 부친이 그 집안에 도움을 주고 싶어 했지요. 그래서 위컴에게 그 영지의 성직자 자리를 주려고 공부까지 시켜줬어요. 그렇지만 부모님들이 돌아가신 후 낭비벽 심한 위컴은 다아시에게 목사직보다는 돈을 달라고 했고 그래서 돈을 줬던 거죠. 위컴은 돈을 방탕하게 다 쓰고, 다시 목사직을 달라고 요구했고, 다아시가 거절하자 다아시 동생에게 접근해서 함께 도망을 가려고 했어요. 다아시가 그것을 막았고, 그를 더는 가까이하지 않았어요. 위컴은 그것에 앙심을 품고 다아시에 대한 안 좋은 이야기를 하고 다녔고요.

코스모스 그랬군요. 소설 속 위컴이 엄청나게 잘생겼다고 표현했잖아요. 그래서 엘리자베스도 위컴이 거짓말을 할 리 없는 착한 사람이라고 믿었고요. 결국 외모에 넘어가서 편견을 가진 거네요.

엘리자베스의 매력

수국 저는 엘리자베스의 능동적이고, 자기 주도적인 모습이 정말 마음에 들어요. <브람스를 좋아하세요...>와 계속 비교가 되는데, 주인공 폴이 수동적이고, 여기저기 끌려다니는 느낌이어서 더 답답했던 것 같아요. 엘리자베스는 편견을 가질지언정 자기 주도적으로 판단하고, 행동해요. 언니 병문안 갈 때도 주변의 만류와 따가운 시선을 받지만, 자신이 해야 할 일이라 판단하고, 기꺼이 행동하죠. 콜린스의 청혼을 거절한 것도 마찬가지고요.

코스모스 어쩌면 <브람스를 좋아하세요...> 보다 <오만과 편견>의 여주인공이 더 수국님 스타일인 것 같아요.

수국 정말 그런 것 같아요.

출판사별 책의 차이

프지지아 제 책은 펭귄 클래식 코리아 출판사의 책이고, 해설을 제외한 소설 분량이 539페이지예요. 앞부분에 서문이 있어서 소설 시작은 40페이지부터 시작해요.

코스모스 저는 민음사 1판 86쇄, 2017년 발행, 9~532페이지요.

수선화 저도 민음사고, 2판 7쇄 2023년 펴냈고요. 9~544페이지입니다. 제 책이 가장 최근 펴낸 책이네요.

코스모스 제 책에는 주석이 없었거든요. 다른 분들은 있으셨던 것 같은데요.

프리지아 제 책은 주석이 있기는 하지만, 책 뒷부분에 나와 있어서 잘 안 보게 되는 것 같아요.

수선화 저는 주석이 그 페이지 하단에 있어요. 그래서 읽기는 편해요. 확실히 주석이 달려있어야 조금 더 이해돼요. 아무래도 시대적 배경 등의 이유로 이해가 안 되는 부분들이 있어서 확실히 필요해요.

등장인물들의 매력

코스모스 이 소설은 엘리자베스의 매력이 압도하는 책이었어요. 특히, 영부인에게 주눅 들지 않고 자신의 할 말을 다 하는 부분들이 저는 인상적이었어요. 가정교사가 없냐며 의아해하는 영부인에게도 그럴 수 있다며 자신의 가정환경을 자신 있게 이야기하고, 다아시와의 관계를 반대하는 영부인에게 끝까지 '영부인 때문에 다아시의 제안을 거절하지는 않을 것'이라며 할 말을 다 하죠. 막장 드라마에서 돈봉투 건네는 시어머니에게 할 말 다 하며, 오히려 비아냥대기까지 하는 장면을 본 것 같아요. 아주 통쾌하고, 개운했어요.

수선화   맞아요. 엘리자베스는 정말 자존감이 강한 것 같아요. 자신의 신념도 확고한 것 같고요. 그런 면들이 정말 부럽기까지 해요.

프리지아   저는 엘리자베스의 아버지도 인상적이었어요. 특히, 콜린스가 청혼할 때, 엘리자베스에게 이야기하잖아요.

> *아주 불행한 선택이 네 앞에 놓여있다. 엘리자베스. 오늘 이후로 너는 부모 중 한 사람과 남남이 되어야 한다. 네가 콜린스씨하고 결혼을 하지 않으면 어머니가 너를 다시는 안 볼 것이고, 만일 네가 그 사람하고 결혼을 한다면 내가 다시는 너를 보지 않겠다. - P.161*

수국   맞아요. 이 대사 정말 인상 깊었어요. 그런데 책 후반부, 엘리자베스의 대사로도 나오는데, 아버지가 좀 방관적 태도를 보이는 것도 생각해 볼 부분인 듯해요.

수선화   맞아요. 그런데 생각해 보면, 이 시대 아버지들의 전형적인 모습일지도 몰라요. 집안일이나 자녀 교육은 어머니들에게 일임하고, 아버지는 보통 외부적인 일이나, 중요한 일에만 관여하곤 했을 것 같아요. 그래서 아버지 베넷씨도 그 시대의 그저 그런 가부장적인 아버지인데, 그런데도 돈이나 야망보다는 딸들의 행복을 중심으로 결혼을 생각한다는 점에서 그래도 그 시대에 깨어있는 인물로 볼 수 있죠. 엘리자베스가 아버지의 이런 신념에 영향을 받았을 수 있어요.

코스모스 정말 그렇겠네요. 그저 방관적이라고만 생각했는데, 어쩌면 시대적 배경의 영향이 있을 수 있고, 아버지 이상으로 깨어있는 엘리자베스는 그녀의 아버지를 방관적이라 표현하며, 그 시대의 아버지상에 문제를 제기한 것일 수 있겠네요. 저는 작품에서 악역들이 참 인상적이었어요. <오만과 편견>의 악역 5총사가 있잖아요. 콜린스, 위컴, 리디아, 베넷 부인, 빙리양까지요. 이들은 밉살스러운 캐릭터이고, 사고도 치고, 치사한 짓들도 하지만 중요한 것은 결국 완전히 배제되지 않고 함께 살아간다는 것이었어요. 밉고, 마음에 들지 않는 행동만 일삼는 사람들도 결국 변해가고, 사람들 안에서 자신의 자리를 잡아가며 살죠. 사람들은 그들을 받아들이고, 함께 살기 위해 노력하고요. 엘리자베스는 어쩌면 이들의 못되고, 밉살스러우며 이해되지 않는 행동들을 보면서, 중심을 잡기 위해 자신의 신념을 더 견고히 다진 것일 수 있어요. 우리 삶도 마찬가지잖아요. 그래서 삶이 다채롭고 사랑스러워지는 것이죠. 물론, 이 악역 5총사가 사랑스럽다는 이야기는 아니고요. (웃음)

프리지아 맞아요. 그리고 엘리자베스는 편견을 가지잖아요. 위컴이 잘 생겨서 착한 사람일 것으로 생각하는 편견이요.

수선화 맞아요. 프로파일러가 하는 말을 들어보면 사기꾼의 대부분은 얼굴이 잘생겼다고 하더라고요. 진실할 것 같고, 솔직하고 착한 사람일 것 같은 사람이 주로 사기를 친다고 해요.

네송이 (빵터짐!) 맞아요!

제인과 엘리자베스

코스모스 저는 엘리자베스와 제인의 캐릭터를 비교해서 봤어요. 두 캐릭터는 비슷한 느낌에 제법 마음에 드는 캐릭터인데, 둘의 성향은 엄청 다르잖아요.

프리지아 맞아요. 제인은 사교성이 좋고, 예쁜 말만 하고, 사람의 긍정적인 측면을 보려고 하죠. 그리고 어떤 이유가 있을 것이라며, 사람들을 이해하려고 해요. 타인의 이야기를 들어줄 줄도 알고요. 그리고 엘리자베스는 솔직하고 당찬 여성의 느낌이죠. 저는 둘 중에 한 캐릭터를 고르라면 제인 같은 인물에 가까운 것 같아요.

수선화 엘리자베스가 매운맛이라면 제인은 순한 맛이죠. 엘리자베스가 어떤 이야기를 하면 굉장히 사이다 같고, 시원해요. 저는 이렇게까지 표현을 시원하게 하지 못했어요. 그래서 엘리자베스처럼 하고 싶은 말 솔직하게 할 수 있었으면 좋겠어요. 제인은 어쩌면 소설을 위해 쓰인 캐릭터인 것 같기도 해요. 궁합을 맞춰서 엘리자베스를 살려주고, 보완해 주는 캐릭터처럼 느껴져요.

수국 저는 엘리자베스가 부끄러워할 줄 아는 마음이 매력적이었어요. 콜린스와 결혼한 샬롯의 집에 갔을 때도 '그 집이 자신의 집이 될 수도 있었을 텐데…' 하고 생각하고는 그런 생각을 한 자신을 인정하고, 속물 같은 마음마저 솔직히 드러내죠. 부끄러워할 줄 안다는 것은 생각보다 어려운 일이거든요.

코스모스 저도 공감해요. 엘리자베스가 다아시를 향한 생각이 편견이었다는 것을 알아차리고, 자책하고 진심으로 반성하죠. 그리고 생각과 행동을 완전히 바꾸게 되죠. 우리는 생각보다 많은 불편한 감정들에 사로잡히곤 해요. 그런 감정이 드는 것 자체를 수치스럽게 여기죠. 하지만, 그러지 않아도 돼요. 다양한 감정은 저마다의 이유가 있고, 또 당연하니까요. 예를 들면 저는 수국님의 사랑스럽고 솔직하게 표현하는 모습에 질투가 나요. 이것은 불편할 수 있는 감정이죠. 하지만, 이렇게 넘길 수 있어요. "아~ 너무 질투 나요. 부러워요~ 그게 너무 매력적이에요" 하고요. 이렇게 내뱉으면, 질투라는 감정은 타인을 응원하고 인정해 주는 성숙한 감정으로 바뀌죠.

수국 아~ 부끄럽네요. (수줍)

코스모스 사실이에요. (웃음) 그리고 저는 제인과 엘리자베스가 참 '그녀답게 살고 있다'라는 생각했어요. 제인은 '제인답게' 그리고 엘리자베스는 '엘리자베스답게' 살고 있어요. 그리고 둘은 서로를 존중하고 사랑하죠. 제인다움과 엘리자베스다움을 서로 존중하면서 아주 이상적인 관계를 맺고 있어요. 둘은 서로에게 배우고, 보완하며 살고 있어요. 그러고 보면 프리지아님은 정말 제인다운 느낌이 있어요. 프리지아님은 '개츠비의 뮤즈'이기도 하고, '우리들의 제인'이기도 하시네요.

프리지아 아~ 감사해요.

수선화   이 책은 특히 그냥 읽었을 때는 잘 몰랐는데, 이렇게 이야기를 나누니 정말 흥미진진한 책이었어요.

코스모스   수국님께서 너무 재미있게 느낄 수 있게 해 주셨어요.

수국   저도 이야기를 나누니 더 재미가 컸던 것 같아요. <브람스를 좋아하세요...>도 그냥 읽었을 때는 재미를 몰랐는데, 이야기를 나누니 '정말 다양한 생각을 할 수 있는 소설이구나.'라고 생각했었거든요. 이전에 코스모스님께서 말씀하셨던 오래된 사이에서는 당연한 듯 시간을 함께하게 된다는 말이 오래 남더라고요. 이런 생각들이 쌓여가니, 삶이 풍성해지는 듯합니다.

코스모스   우리 네 송이가 책 리뷰를 나누기 참 좋은 조합 같아요. 줄거리 정리하는 코스모스, 장면 재현이 인상적인 수국, 청량한 목소리로 낭독하는 프리지아, 정말 솔직히 리뷰하는 수선화까지. 우리가 참 잘 만났어요.

지금까지 우리들의 제인인 프리지아, 우리들의 엘리자베스인 수국, 우리들의 서평단 수선화, 우리들의 서기 코스모스였습니다.

3. 사랑 & 목표를 향한 집착
- F.스콧 피츠제럴드 <위대한 개츠비>

(1) <위대한 개츠비> 수국의 책 이야기

바로 이 파란 잔디밭까지 오기까지 그는 참으로 먼 길을 돌아왔다. 이제 그의 꿈은 손만 뻗으면 닿을 듯 가까이 보였을 것이다. 그는 몰랐다. 자신의 꿈은 이미 등 뒤에, 저 뉴욕 너머의 헤량할 수조차 없는 불확실성 너머, 밤하늘 아래 끝없이 펼쳐진 미국의 어두운 들판 위에 남겨져 있었다는 것을. - P.222

<위대한 개츠비>는 미국을 대표하는 고전소설 중 하나다.

1920년대 미국은 경제가 번영하고 재즈가 넘치며 영화가 사람들의 마음을 사로잡던 '광란의 20년대'라고 불리던 시기이다. 금주법 때문에 술은 불법이었지만 비밀 파티에서는 샴페인이 넘쳐났다. 이 화려하고 다이나믹한 시대를 배경으로 한 소설이 F. 스콧 피츠제럴드의 <위대한 개츠비>다.

이야기는 중서부 출신의 닉 캐러웨이가 뉴욕으로 이주하며 시작된다. 닉은 롱아일랜드의 부유한 지역 이스트에그에 정착한다. 그의 옆집에는 미스터리한 억만장자 제이 개츠비가 살고 있고 매주 성대한 파티를 연다. 그러나 개츠비에 대해 아는 사람은 거의 없다. 닉은 우연히 개츠비와 친구가 되고, 그의 진짜 이야기를 알게 된다.

개츠비는 가난한 집안 출신으로 젊은 시절 사랑에 빠진 부유한 상류층의 여인, 데이지를 다시 만나기 위해 부를 쌓기로 결심한다. 데이지는 닉의 사촌으로, 톰 뷰캐넌이라는 부유한 남자와 결혼한 상태이다. 개츠비의 모든 노력은 데이지와의 재회를 위한 것이었다. 그는 데이지가 자신의 파티에 오기를 바라며 매주 화려한 행사를 연다. 닉의 도움으로 개츠비와 데이지는 다시 만나지만 그들의 재회는 생각만큼 행복하지 않다.

스토리만 보면 크게 특별할 게 없어 보이는 이야기다. 하지만 시대상이 충실하게 반영된 소설로, 배경을 알고 보면 이 책의 진가가 더 잘 보인다. 배경을 이해하면, 문장의 표현력, 인물 간 감정선의 흐름이 탁월한 연출임을 알게 된다.

개츠비 한 명에게도 많은 모습이 투영되어 있다. 개츠비는 데이지와 데이트를 하며 처음 만난 상류층 여성인 그녀를 사랑하게 된다. 그녀를 동경한 그는, 불법적인 일도 마다하지 않고 돈을 벌어 파티를 열며 데이지를 기다렸다. 결국 그는 그녀를 만나고, 사람들 앞에서 데이지의 남편에게 그녀가 자신을 사랑한다며 비밀스러운 마음을 쏟아내고야 만다. 순애보적 사랑에 빠진 개츠비는 데이지를 사랑하는 것 같지만, 어쩌면 그는 그녀를 사랑하는 자신의 모습을 사랑하는 것이 아니었을까.

<위대한 개츠비>는 1920년대의 사회적, 도덕적 혼란 속에서 개츠비의 꿈과 현실의 괴리, 화려한 겉모습 뒤에 숨겨진 고독과 절망, 사랑의 복잡함 등을 엿볼 수 있다.

피츠제럴드는 이 소설을 통해 아메리칸드림의 종말을 생생하게 그려 냈고 그 허상을 비판했다. 그러면서도 인간의 순수한 열망과 비극을 아름답게 묘사했다.

개츠비는 그 초록색 불빛을 믿었다. 해가 갈수록 우리에게서 멀어지기만 하는 황홀한 미래를. 이제 그것은 자취를 감추었다. 그러나 뭐가 문제겠는가. 내일 우리는 더 빨리 달리고 더 멀리 팔을 뻗을 것이다... 그러면 마침내 어느 찬란한 아침...

그러므로 우리는 물결을 거스르는 배처럼, 쉴 새 없이 과거 속으로 밀려나면서도 끝내 앞으로 나아가는 것이다. - P.222

(2) <위대한 개츠비> 책수다 이야기

책에 대한 감상

코스모스 수국님. 도서 선정 이유 먼저 들어볼게요.

수국 이 책은 영미 문화권의 정수를 보여주는 소설이라고 해요. 어떤 내용과 표현들이 담겨있을지 궁금해 선택했습니다. 그런데 읽으면서 어떤 부분이 그 문화권의 정수라는지 잘 모르겠어요. 그래서 이야기를 더 나누어 보고 싶었어요. 책은 후반부로 갈수록 점점 더 재미있었어요.

프리지아 저는 책을 다 못 읽었어요.

코스모스 괜찮아요. 혹시 어디까지 읽으셨어요?

프리지아 저는 3분의 1정도 읽었는데, 재미를 못 느꼈어요.

수선화 정말 거기까지 읽으셨으면 재미없으셨을 것 같아요!

프리지아	맞아요. 심지어 제가 읽은 부분까지는 개츠비가 제대로 등장도 하지 않았어요. 3분의 1 읽었는데, 개츠비는 언제 나오나 싶었어요.
네송이	(빵터짐!)
수선화	저도 끝까지는 다 못 읽었어요. 차 사고 난 곳까지요. 윌슨 부인인가? 그녀가 죽은 부분까지요. 초반에는 좀 진부했던 것 같아요. 초반부에 인물관계나 상황을 설명하는 부분까지가 너무 길어서 집중이 힘들었어요. 그리고 외국 이름들을 구별하는 것도 너무 힘들었어요. 결혼하면 바뀌는 이름, 남편 이름, 원래 이름… 고유명사가 너무 많아요.
코스모스	저도 고유명사에 약해요. 그래서 저는 이름 외우기를 포기했어요. 그냥 그 상황에서 이런 행동을 한 사람? 이 정도로 인지하고 있어요. 저는 이 책을 읽으면서 영화가 자꾸 생각났어요. 영화는 못 봤지만, 예고편 등으로 봤던 화려했던 파티, 돈이 휘날리는 상황이 생각났어요.
수선화	맞아요. 저도 영화를 보지는 못했지만, 장면들이 떠올랐어요.
코스모스	그리고 레오나르도 디카프리오의 얼굴이 겹치고, 그 표정들이 떠올라서 소설의 생동감이 더해진 것 같아요. 그럼, 이제 아직 못 읽었던 분들을 위해 수국님께서 생동감 있게 소설의 분위기를 설명해 주시겠습니다. (웃음)
수국	<위대한 개츠비>에서 솔직하고 급작스러운 감정의 변화

와 표현들이 인상적이었어요. 예를 들어, 데이지가 남편과 개츠비가 함께 있는 자리에서 남편을 향해 "저 사람을 사랑하지 않았어요" 하다가 "사랑하긴 했었어요."라고 말을 바꾸는 장면이요. 얽힌 불륜, 캐릭터의 감정 변화, 아메리칸드림을 꿈꾸는 사람들의 속성과 욕망을 들여다볼 수 있는 소설이었어요. 책의 마지막 페이지에 초록 불에 대한 문장이 있는데, 그 부분이 소설을 관통하는 문장이라고 생각해요. 데이지의 집 쪽에 비치는 그 초록 불이 개츠비의 삶의 목표, 의미였지요. 잡히지 않는 것을 잡으려고 애를 쓰며 손을 뻗지만, 그것은 더 멀어지고, 아무리 팔을 더 뻗어도 닿지 않는 것이었죠.

> *개츠비는 그 초록색 불빛을, 해마다 우리 눈앞에서 뒤쪽으로 물러가고 있는 극도의 희열을 간직한 미래를 믿었다.* - P.222

코스모스 이번에도 역동적이고 생생한 감상을 전해주셨네요. 개츠비는 군인이었던 시절 데이지라는 여인을 사랑하지만, 데이지 집안의 반대로 헤어지게 되죠. 데이지는 개츠비가 처음 마주한 상류층 여성으로 개츠비는 그녀에게 닿기 위해 수단과 방법을 가리지 않고, 돈을 모아 소위 신흥 부자가 되죠. 소설은 그녀를 다시 만난 개츠비의 이야기들이 펼쳐져요.

작품 해설

코스모스 <위대한 개츠비> 민음사 출판사의 작품 해설에서 미국을 공간적으로 대조하며 해석하는 부분이 인상적이었어요. 중서부와 동부 지역의 차이를 보여주는데, 동부는 물질적 부와 세련미와 교양이 있지만, 도덕적, 윤리적으로는 무책임한 행동양식을 보이고, 중서부는 도덕적 순수성과 청교도적 가치관을 따르고 있었다고 해요. 정리하면 동부는 물질적 가치관, 중서부는 정신적 가치관이 있죠. 이 두 가치관이 충돌하고 있고, 실제로 소설에서도 이렇게 말하죠.

> *지금까지 한 얘기도 결국은 서부에 대한 이야기였다. 톰과 개츠비, 데이지와 조던, 그리고 나는 모두 서부에서 온 사람들이었다. 우리는 동부의 삶에 미묘하게 적응하지 못하게 된 어떤 공통적 결함을 공유하고 있었을지도 모른다. - P.217*

그리고 이 작품에서는 무엇보다도 환상과 이상의 중요성을 가장 핵심 주제로 다룬다고 해요.

> *개츠비에게 부조리한 세계에서 삶을 살아갈 가치가 있는 것으로 만들어주는 것은 오직 이상과 환상뿐이다. - P.272*
> [작품해설-민음사, 2023]

어쩌면 개츠비는 부조리한 사회에서 자신이 의지할 것은 데이지를 향한 동경, 환상이라 여겨지는 비현실적 이상이었을지도 몰라요. 하지만 결국 허무하고 씁쓸하게 끝나죠. 그는 부조리한 일을 주도하고 불법적 행위를 자행하고 파티에 돈을 쏟아부으며 물질만능주의 행보를 이어가지만, 데이지라는 여성을 되찾으려는 순수한 사랑을 가진 낭만적이고 이상적인 것을 꿈꾸는 청년이죠. 하지만 개츠비의 이상주의가 점점 타락하고, 변질되며, 결국은 허무한 죽음을 맞게 되죠. 수국님께서 말씀하신 변질된 '아메리칸드림'과 같은 맥락이죠.

수국	저는 개츠비가 데이지를 사랑한 것은 아니라고 느껴졌어요. 어쩌면 개츠비는 데이지를 사랑하는 자기 자신을 사랑하는 것 같았어요. 그녀는 그가 처음 만난 상류층 여자이고, 그녀에게 집착했고, 그녀를 오랜 시간 사랑하고 되찾고자 노력해 온 자신에게 취해있었던 것 같아요. 데이지와 남편과 개츠비가 삼자대면할 때 특히, 데이지의 남편에게 "데이지는 당신을 사랑한 적 없어요"라고 말할 때 '사랑하는 이의 과거의 감정까지 오로지 자신을 향한 시간으로 되돌리고 싶은 게 아닌가?' 하는 생각이 들었고, 이것은 집착이라 느껴졌어요. 개츠비가 삶의 원동력을 기이하게 잡았어요.
코스모스	수국님 말씀 중 취해있다는 표현이 참 와닿네요. 맞아요. 개츠비가 데이지를 향한 사랑에는 상류층에 대한 동경이 포함된 것 같아요. 소설에 이런 표현도 있었어요.

그녀의 목소리는 돈으로 충만했다. - P.149

개츠비가 사랑에 빠져든 상황에 대한 표현은 아니지만, 데이지라는 여성은 상류층의 우아함과 아우라를 품은 여성이라고 느껴져요. 개츠비는 그런 모습까지 포함해서 그녀를 사랑했고, 그녀를 되찾고자 하는 마음과 상류층에 닿고 싶은 열망이 포함된 집착들이 그를 여기까지 몰고 오지 않았나 하는 생각이 들었어요.

출판사별 소설 차이

수국	저는 이번에는 문학동네 책을 샀어요. 김영하 작가가

번역했는데, 번역가가 아닌 작가가 번역한 것에 대한 다양한 이견들이 있었어요.

코스모스 저는 민음사 2판이에요. 번역가가 서두에 본인의 이전 번역에 대한 긍정적 평가들과 자부심이 느껴지는 글을 썼어요. 이어서 개정판을 준비할 땐 어떤 것들을 염두에 두었는지 기록했고요. 작가가 번역한 소설은 정말 조금 다를 것 같아요. 번역가는 원문의 느낌을 최대한 이물감 없이 전하고자 노력한다면 작가는 소설의 분위기에 좀 더 적합한 문장으로 재탄생시킬 것 같거든요. 이것은 제 편견이지만, 왠지 김영하 작가 번역은 어떤 느낌으로 소설 속에 전해질지 궁금하고 기대가 되네요. '런온'이라는 드라마를 봤는데, 주인공이 영화 번역가였어요. 누군가 주인공에게 어떤 번역이 좋은 번역이냐고 물었는데, 이렇게 대답해요. "번역가의 존재가 최대한 드러나지 않는 번역이 좋은 번역인 것 같다." 인상적이었어요. 번역이라는 작업도 참 멋진 것 같아요.

프리지아 저는 열림원 세계문학 출판사인데, 현대소설처럼 잘 읽혀요. 제 책 표지도 너무 예쁘죠?

수선화 그러네요. 정말 예뻐요.

코스모스 현대소설처럼 읽히는 고전이라니, 그것도 흥미롭네요.

수선화 이래서 한 가지 소설을 출판사별로 구매해서 보는 것 같아요. 처음에는 이해가 되지 않았는데, 이제 정말 왜 그런지 알겠어요.

프리지아	제 책은 해석보다는 연도별 작가 이력과 소설 탄생 배경 등이 나와 있고, 작품 해설이 자세하지는 않아요.
코스모스	저는 주로 민음사 출판사의 해석이 마음에 들어서 선택해요. 소설도 재밌었지만, 해석을 읽는 것이 더 재미있더라고요. 여러 가지 방향으로 작품을 분석해서 알려주니 작품 구석구석 다양한 각도로 조명해 볼 수 있어서 흥미로웠어요. 소설은 다른 출판사의 번역본으로 보고, 작품 해설은 민음사를 보는 것도 좋겠네요.

책수다를 마무리하며

프리지아	저는 서론만 읽고 왔는데, 수국님의 생생한 분위기 전달과 코스모스님의 정리로 소설을 다 읽은 것 같아요. 가볍지만 유쾌했어요. 영화를 보고 싶어지네요.
수선화	저는 동서양의 정서가 매우 다르다고 생각했어요. 동양은 감정 표현이 절제되는데, 서양은 자유분방한 표현들이 이어져서 당황스럽기도 한 것 같아요. 수국님과 코스모스님이 풀어주셔서 정말 재미있었어요.
수국	저는 <위대한 개츠비>의 '위대한'이라는 부분이 궁금했어요. 물질만능주의 시대에 화자는 결국 쓸쓸함을 느끼고 고향으로 돌아가죠. 적응하지도, 성공하지도 못한 채로요. 소설 속에서 물질적 성공을 상징하는 사람들은 죄를 짓고, 죽은 사람은 잊어버리며 유유히 도망치는 삶을 살아가고요. 그것이 비단 그 시대의 이야기만은 아닌 것 같아요. 지금도 그런 행태들은 이어지고 있으니까요. 이 소설을 아이들에게 어떻게 들려줄까,

어떤 메시지를 전해줄 수 있을까 생각했어요. 그런데 책수다를 하고 나니, 어떤 이야기를 전해줘야 할지 조금은 알게 된 것 같아요.

코스모스 저는 <싯다르타> 필사를 시작했는데, 오늘 필사 문장이 그런 내용이었어요. '해탈은 가르침으로 가능하지 않고, 경험해야만 아는 것이다' 아마 수국님의 생생한 이야기 전달만으로 아이들은 나름의 메시지를 알아차릴 수 있을 거예요. 저는 오늘 개츠비가 데이지를 사랑했는지에 대해 수국님과 다른 의견을 이야기한 것이 너무 좋았어요. 이게 책수다의 묘미인 듯해요. 각자 다른 생각과 해석이 당연하기에 그것을 가감 없이 나눌수록 우리는 더 다양한 각도로 책을 조명해 볼 수 있는 것 같아요.

지금까지 생동감 넘치는 이야기 할머니 수국, 줄거리 정리하는 이야기 할머니 코스모스, 유머가 있는 이야기 할머니 수선화, 우리들의 사랑스러운 손녀가 되어준 프리지아였습니다.

4. 욕망 & 복수가 불러 온 비극
- 윌리엄 셰익스피어 <햄릿>

(1) <햄릿> 프리지아의 책 이야기

덴마크의 왕자 햄릿의 아버지, 즉 선왕이 죽자, 햄릿이 아닌 왕의 동생이 왕위를 물려받게 된다. 그리고 아버지의 장례식이 끝난 지 한 달도 채 되지 않았을 때 햄릿의 어머니는 현재의 왕인 삼촌과 재혼한다. 갑작스러운 아버지의 죽음과 어머니에 대한 원망에 사로잡혀 있던 햄릿은 최근 초소에 아버지의 망령이 나타난다는 말을 듣게 된다.

> 유령 : 네 아비의 목숨을 앗아 간 그 독사가 지금 왕관을 쓰고 있다는 걸.
> 햄릿 : 아, 어쩐지 예감이 이상했어! 삼촌이! - P.41

한밤중에 찾아가 만난 선왕의 망령을 통해 아버지가 삼촌으로부터 독살당했다는 사실을 알게 된 햄릿은 복수하기 위해 미친 척 연기를 하며 기회를 엿보았다.

> 햄릿 : 저자가 기도를 하고 있군. 딱 좋은 기회다. 지금 해치우고 말자. (칼을 빼 든다.) 그럼 놈은 하늘로 가고, 나는 복수를 하는 거지. 그런데 가만, 좀 더 따져 볼 필요가 있어. - P.116

그러다 왕과 처음으로 단둘만이 있는 기회가 찾아오지만, 햄릿은 진정한 복수가 아니라며 한 번 망설이게 되고 이런 햄릿으로 인해 결국,

등장인물들의 비극적인 이야기가 시작된다.

윌리엄 셰익스피어의 4대 비극 중 하나로 유명한 <햄릿>의 원제목은 <덴마크 왕자 햄릿의 비극>으로 5막으로 이루어진 장막극이다. 이 책은 희곡으로서, 책을 읽는 동안 연극을 보는 것 같아 재밌었다.

> *햄릿 : 이대로 살아, 아니면 죽어 없어져, 그게 문제야. 어떤 게 더 고결한 일일까? 가혹한 운명의 돌팔매와 화살을 받으면서 그냥 참고 견디는 것, 아니면 세상의 고통과 맞싸워 이겨서 그것들을 끝장내 버리는 것. 죽는 건 잠드는 것. 그뿐이겠지. - P.86*

'죽느냐, 사느냐, 그것이 문제로다'로 많이 알려진 햄릿의 명대사는 번역에 많은 어려움이 있었고, 지금까지도 다양한 해석들이 나오고 있다. 이 대사를 번역하는 것에 따라 햄릿을 달리 볼 수도 있기 때문이다. 원문은 'To be or Not to be.'로 해당 표현을 '죽느냐 사느냐'로 번역하면 삶과 죽음에 대한 것으로 햄릿이 복수 앞에서도 망설이는 우유부단함의 대명사로 보이겠지만, '있음이냐, 없음이냐'라는 존재의 의미로 보게 된다면 다음에 올 햄릿의 대사를 다르게 볼 수 있지 않을까.

> *햄릿 : (방백) 참아라, 칼아. 더 좋은 기회를 찾자. 저자가 술에 취해 잠들어 있거나 침대에서 근친상간의 쾌락을 즐기고 있을 때, 욕을 하면서 노름을 하고 있거나 구원받을 여지가 전혀 없는 행동을 하고 있을 때 다리를 걸어 쓰러뜨리자. - P.117*

연극 도중에 자리를 박차고 나간 왕은 자신이 형제를 죽였다면서 기도하고 있었다. 햄릿은 기도하는 왕을 죽이면 육체는 죽을지언정 영혼은 천국에 갈 것으로 생각했다. 즉, 죽음 뒤에 무언가 존재한다면 그것에게도 역시 복수를 해야 한다며 왕을 죽일 기회를 다음으로 미룬 것이다. 더 포괄적이고 존재론적인 의미로 보게 된다면 햄릿의 이 대사는 진짜 복수를 하기 위한 햄릿의 결단력으로 볼 수도 있을 것이다.

<햄릿> 중 가장 기억에 남았던 부분은 바로 폴로니어스가 아들 레어티스에게 인간관계와 태도에 대해 조언하는 부분이었다. 그 이유는 400년 전이었음에도 너무 와닿았기 때문이다.

> *폴로니어스 : 속마음을 함부로 입 밖에 내지 말고, 무모한 생각은 행동으로 옮기지 마라. 친구는 사귀되 저속한 무리와는 어울리지 말고. 그 친구들이 사귈 만하다고 여겨지면, 네 영혼에 쇠줄로 단단히 잡아매 두어라. (중략) 돈은 빌리지도 말고 빌려주지도 마라. 빚 때문에 돈도 잃고 친구도 잃게 되니까. 또 돈을 빌리다 보면 절약 정신이 무뎌지기 마련이야. 그리고 무엇보다 너 자신에게 성실해야 한다. - P.31~32*

고전소설을 읽다 보면 지금과 다른 시대적 배경이 이해가 가지 않을 때도 있지만, 이렇게 지금 시대에도 딱 맞는 조언들이 나올 때 감탄하게 된다. 또, 그 시절의 권력다툼, 명예와 복수, 사랑과 배신 등의 이야기가 우리가 사는 시대와 크게 다르지 않아 여전히 많은 사람이 공감한다. 햄릿이 지금까지 사랑받는 고전소설인 것이 바로 이런 이유가 아닐까 싶다.

(2) <햄릿> 책수다 이야기

책에 대한 감상

코스모스   저 오늘은 책을 절반도 못 읽었어요. 그래도 책이 잘 읽히고, 얇고, 흥미로운 문장들도 많았던 것 같더라고요.

수선화   희곡이 생각보다 재미있더라고요. 연극을 보는 것 같았어요.

수국   저도 이전에 햄릿을 읽었을 때는 이렇게 재미있다는 생각이 안 들었는데, 다시 읽으니 진짜 재미있네요.

코스모스   우리 프리지아님. 책 추천 이유 먼저 들어볼까요?

프리지아   이 책은 너무 유명해서 제대로 읽고 싶었어요. 무엇보다 누구나 다 아는 대사 있잖아요. '죽느냐 사느냐 그것이 문제로다' 이 대사가 어디에서 어떻게 나오는지 궁금했어요.

코스모스   저도요. 책을 다 못 읽어서 저는 아직도 몰라요.

수선화   햄릿이 왕에게 복수를 결심히고, 광대들을 모아 연극을 준비하려고 하면서도, 복수하는 마음에 괴로워하며 했던 독백이었어요.

수국   민음사의 이번 책에서는 대사가 '죽느냐 사느냐 그것이 문제로다'가 아니더라고요.

> *존재할 것이냐, 말 것이냐, 그것이 문제다. - P.95*

그리고 지금까지 모든 역자가 '죽느냐 사느냐'로 번역 했는데, 원문의 'to be or not to be'라는 표현이 죽느냐 사느냐를 포함한 존재와 비존재의 대립으로 봐서 이렇게 번역을 바꾸었다고 하네요.

프리지아 저는 푸른숲주니어 출판사인데요. 표지에 반해서 이 책을 샀어요. 이 책은 고등학교 교사들이 책을 설명해 주는 것처럼 배경지식과 해석이 알차게 나와 있어요. <햄릿>을 처음 읽는다면 쉽고 자세한 이 책이 좋을 것 같더라고요. 제 책에는 막이 시작될 때마다 제목이 있어요. 그래서 그 부분이 어떤 이야기로 전개되었는지 바로 상기하거나 예상할 수 있어요. 그리고 덴마크 성 사진과 오필리어가 죽은 그림 같은 것도 알차게 담겨있어요.

수국 희극과 비극의 대표 작품이 셰익스피어 <햄릿>과 세르반테스 <돈키호테>잖아요? 햄릿의 4대 비극이 있죠. <햄릿>, <리어왕>, <맥베스>, <오셀로> 이 4가지 비극은 결국 욕망으로부터 비롯되죠.

코스모스 오~~ 이런 이야기 좋아요. 저는 4대 비극 모두 안 읽었어요.

수선화 <리어왕>은 영화로 나와서 본 것 같아요.

줄거리

코스모스 저는 2막 2장 읽다 말았어요. 햄릿이 아버지의 유령을 마주하잖아요. 그래서 아버지의 동생이었던 삼촌이 아버지를 죽였다는 것을 알게 되고요. 아버지는 자신을 죽인 삼촌에게 복수해 달라고 해요. 다음은 어떻게 돼요?

수국 햄릿은 복수를 위해 미친 척을 하고, 결국 복수를 해요. 결말은 대부분 죽어요. 삼촌도, 엄마도, 햄릿이 사랑했던 오필리어도, 오필리어의 아빠도, 그 오빠도 죽어요.

코스모스 파국이네요? 어떻게 죽는 거예요?

수국	먼저 오필리어의 아빠가 햄릿 어머니의 방의 커튼 뒤에서 숨어있었는데 햄릿은 숨어있는 사람을 왕, 즉 자신이 복수하고 싶은 삼촌인 줄 알고 칼로 찔러 죽여요. 그리고 그 소식을 듣고 오필리어는 자살하죠. 그녀의 오빠 레어티스는 햄릿에게 복수하기 위해 왕과 협력해서 칼끝에 독을 묻히고 칼싸움을 하지만 되려 그 칼에 찔려서 죽죠. 햄릿의 어머니는 햄릿을 죽이려고 왕이 독을 타서 준비해 놓은 술을 마시고 죽고요. 햄릿의 삼촌이자 복수의 대상인 왕은 결국 햄릿에게 죽임을 당하죠. 그렇게 다 죽어요.
코스모스	왕은 왜 햄릿을 죽이려고 하는 건데요?
수국	햄릿이 자신에게 복수하려고 미친 척하는 것을 눈치챈 것 같아요. 그래서 영국으로 보내려다가 안 되니까 죽이기로 했고요.
수선화	그런데 왕비는 그 술에 독이 든 것을 알고 마신 걸까요?
수국	그건 아닌 것 같아요. 근데 오필리어는 자살했죠?
프리지아	제 책에는 오필리어가 자살이라는 뉘앙스로 적혀 있어요. 그래서 장례식도 치러주지 않는다고 나와 있어요.
코스모스	흥미진진하네요. 이전에 <오만과 편견>은 드라마 '아내의 유혹' 느낌이고, <브람스를 좋아하세요...>는 드라마 '밥 잘 사주는 예쁜 누나' 느낌이라면, 이번 <햄릿>은 딱 '펜트하우스'네요. 파국에 파국을 더한 스토리, 상상 이상으로 죽고 죽이는 느낌. '펜트하우스'도 주인공마저 죽는데, 다음에 다시 살아나고 장난 아니잖아요.

네송이　(빵터짐!) 맞네요.

희곡의 매력

코스모스　희곡의 매력이 뭘까요?

수선화　희곡은 대화체라서 술술 익혀요. 누가 말하는지도 명확하게 나와 편하기도 해요. 유명한데 복잡하거나 어렵지 않고, 심지어 책 앞부분에 등장인물까지 정리되어 있어서 너무 좋았어요. 대본집 같아요.

코스모스　대본집 하니까 생각났는데요. 제주를 배경으로 한 드라마 '우리들의 블루스'의 대본은 여느 대본과는 좀 다르다고 하더라고요. 보통 대본은 예를 들면, '(손을 떨며) 어떻게 알았어?' 이런 식으로 되어있어요. 그런데 '우리들의 블루스' 대사는 '(그녀의 살갗에 차가운 바람이 닿는 것을 느끼며, 노을을 바라본다. 눈 앞에 펼쳐진 노을이 하늘 가득 퍼져나가며 금세 어두운 기운이 뒤덮인다) 그래' 이런 식으로 지문이 더 길다고 해요. 배우가 감정을 더 잘 느낄 수 있도록 분위기와 상황 묘사에 비중을 둔 거죠. 참 신기했어요.

프리지아　와~~ 대본집 읽어보고 싶네요.

코스모스　그죠? 대본집도 판매하기도 하잖아요. 이 드라마는 대본집을 정말 읽어보고 싶더라고요.

프리지아　와~~ 대본집도 판매해요?

코스모스　저는 사서 읽어본 적은 없지만, 판매하더라고요.

프리지아　'우리들의 블루스'도 대본집 사서 읽어봐야겠어요.

수국 저는 <햄릿> 속에서 여성을 무시하는 발언들이 느껴졌어요. 예를 들면, 오필리어한테 오빠가 말하는 부분이요. 햄릿이 치근덕거리니 몸가짐을 바로 하라는 뉘앙스나, 오필리어의 아빠는 하인을 불러서 오필리어를 감시하라고도 하는 부분이요. 정숙과 품위만을 강조하는 것이 당시의 시대상이었음을 엿볼 수 있었어요.

수선화 저는 이 부분이 기억에 남기도 했어요. 폴로니어스가 오필리어의 오빠, 레어티스에게 하는 조언은 현시대를 사는 우리에게도 필요한 이야기가 아닌가 하는 생각이 들었죠.

> *속마음을 함부로 입 밖에 내지 말고, 무모한 생각은 행동으로 옮기지 마라. 친구는 사귀되 저속한 무리와는 어울리지 말고, (중략) 모든 이의 의견을 받아들이되, 네 판단은 삼가는 게 좋다. 지갑이 허락하는 한 옷차림에 돈을 들이되 요란하지 않은 게 좋고, (중략) 돈은 빌리지도 말고 빌려주지도 마라. 빚 때문에 돈도 잃고 친구도 잃게 되니까. 또 돈을 빌리다 보면 절약 정신이 무뎌지기 마련이야. - P.31~32*

특히, 돈 빌려주지 말라는 말이 확 와닿았죠. 그건 시대를 뛰어넘어 꼭 필요한 조언 같아요.

네송이 (빵터짐!) 그렇네요.

수선화 옛날이나 지금이나 교훈들은 비슷한 것 같아요.

수국 맞아요. 사람들 사는 이야기가 그렇잖아요. 왕이든, 아니든, 세상사 비슷하게 흘러가는 것 같아요. 치졸하고, 뒤통수치고, 감시하고.

수국   저는 책을 읽으면서 이야기가 자연스럽게, 흥미진진하게 흘러가는 것이 역시 이야기의 대가답다는 생각이 들었어요. '이 양반 참 글 잘 쓰네!'라는 생각을 했죠.

네송이   (빵터짐!) '이 양반'이라니요.

수국   그리고 등장인물들이 욕망에 대해 솔직히 표현하는 것도 참 좋았어요. 많은 사람이 욕망을 창피해하고 숨기기에 바쁜데, 솔직히 드러내는 모습이 인상적이었어요.

수선화   저는 역시 돈을 빌리지도 말고, 빌려주지도 말라는 말이 남았던 것 같아요.

코스모스   (빵터짐) 수선화님은 이 책의 소감이 '돈'이군요?

수선화   맞아요.

프리지아   저는 희곡은 처음 읽어보는데 생각보다 더 재미있네요. 책수다 덕분에 또 좋은 책을 읽게 되었어요.

코스모스   저는 책을 다 못 읽었지만, 정말 다 읽은 것 같은 기분이 든다는 게 어떤 건지 알 것 같아요. 너무 재밌게 잘 듣고, 좋은 시간이었습니다.

지금까지 오늘도 이야기 할머니 수국, 오늘은 손녀가 된 코스모스, 책 읽고 온 손녀 친구 프리지아, 돈은 빌리지도, 빌려주지도 않겠다는 수선화였습니다.

Interview 3. 책보다 책수다가 좋았던 책

1. 코스모스

<오만과 편견>은 편견에 휩싸인 엘리자베스와 오만한 다아시를 둘러싼 가족, 친구들의 각양각색 스토리가 담긴 소설이다.

책만 읽었을 때는 소설의 매력이 잘 느껴지지 않았다. 등장인물들을 부르는 호칭들이 최소 2개 이상으로, 인물 구조를 파악하는 것부터 난해했던 이 소설은, 시대적 배경이 다른 탓에 캐릭터의 언어와 행동을 이해하는 데도 많은 시간과 에너지가 필요했다. 하지만 책수다를 통해, 스토리 전개와 등장인물을 다시금 정리하니, 비로소 소설 속으로 빠져들었다.

스토리 전개는 과감하면서도 흥미로웠고, 특징이 명확한 캐릭터들은 다양한 감정적 동요를 불러일으켰다. 모나고, 밉살스러운 캐릭터들이 주는 다채로운 사건 전개들로 여느 막장 드라마보다 더한 재미가 있었다. 그리고 결국 그 밉살스러운 인물들과 함께 어우러져 살아가는 모습을 보며, 다양한 사람들 덕분에 우리 삶이 흥미진진해진다는 생각도 들었다. 책수다 덕분에 <오만과 편견>을 제대로 읽은 듯하다.

2. 프리지아

<브람스를 좋아하세요...>는 책수다가 더 좋았다. 대부분 고전은 인간 본질에 대해 많은 생각을 하게 만들었지만, 비교적 가벼운 사랑과 선택에 관한 이야기에서는 네 송이와 사적인 대화를 할 수 있었기 때문이다.

이날은 과거 연애 이야기를 들어볼 수 있었고, 주인공과 어울리는 연예인, 그리고 드라마 같은 설정 덕분에 요즘 즐겨보는 드라마에 관해서 이야기를 나눌 수 있었다. 독서 모임이지만, 일상 속 다른 이야기들을 만나볼 수 있는 책수다의 장점이 가장 잘 느껴진 책이었다.

<브람스를 좋아하세요...>는 오래된 연인의 권태로움, 새로운 운명의 등장, 설렘의 포인트들이 많다고 느껴졌다. 예전에 3년 정도 만난 남자 친구가 있었는데 마지막은 설렘 하나 없이 참 권태로웠다. 그럼에도 익숙함에 속아 헤어지지 못하고 애매한 관계를 계속 유지했다. 결국은 좋지 않게 끝났던 그 연애가 <브람스를 좋아하세요...> 소설 속 상황과 너무 비슷해 감정이입이 많이 되어 더 기억에 남는 것 같았다.

3. 수선화

　제인 오스틴의 <오만과 편견>은 영국을 대표하는 소설임에
도 책으로 이 작품을 접했을 때, 나는 크게 공감하지 못했다.
양성평등을 외치는 요즘 사회에 여성 차별이라는 껄끄러운 시
대적 배경들이 책을 읽는 내내 답답함으로 다가왔다. 영국 사
회에서의 여자는 예쁜 외모로 신분 상승이 가능했고 가문의
계급을 상승시킬 수 있었다. 그런 시대적 상황 속에서도 제인
과 엘리자베스의 솔직함과 당당함이 그나마 나의 답답함을 해
소해 주었다.

　책수다에서는 이 작품의 등장인물들의 성격 유형을 파악한
뒤, '우리는 과연 엘리자베스처럼 나다운 삶을 살고 있을까?'
라는 주제로 각자의 의견을 나누는 시간을 가졌다. 상황과 환
경, 역할 등에 치우치다 보면 사실 나다움을 표현하기란 쉽지
않다. 그런 상황에도 자기다움을 찾아가는 엘리자베스를 통해
그동안의 답답함이 통쾌함으로 바뀌었다. 책수다 네 송이와
생각 나눔을 통해 내가 미처 생각지 못했던 부분들을 알아가
는 의미 있는 시간이었다.

4. 수국

　＜인간 실격＞은 혼자 읽었으면 진작 포기했을 책이다. 읽는 내내 주인공 요조의 행동이 이해되지 않아 답답했다. 읽은 내용을 정리하면서는 '착한 게 아니라 우유부단한 인생이다'라고 남겼다. 그는 자신도, 타인도 지키지 못하는 사람이었다. 그가 어려움과 나락으로 빠지는 모습은 안타깝지만, 나는 그와 다르다고 선을 그었다. (오만한 생각이지만, 그렇게 살고 싶지 않다는 마음의 반영으로 봐주시길.)

　그러나 책수다를 나누며 요조의 마음이 이해되기 시작했다. 요조는 착하고 익살스럽지만, 싫은 말을 하지 못하는 사람으로 자기를 온전히 표현하지 못하고 내면에 유약함과 두려움이 공존하는 모습을 보였다. 부당한 대접에도 웃고만 있는 그의 무기력함과 자괴감을 가감 없이 드러내는 작가가 다시 보였고 대단하다고 생각하게 되었다.

　＜인간 실격＞ 책수다 후, 나의 부족한 점을 바로 보고 인정해서 온전히 나를 지키는 삶을 꿈꾸게 되었다. 잘살아 보고 싶다. 정말로.

고전이 꽃피는 독서모임
네송이의 책수다

PART 4

못난 나와의
대화는
어떤 것일까?

Part 4. 못난 나와의 대화는 어떤 것일까?

1. 나의 유약한 마음 마주하기
 - 다자이 오사무 <인간실격>

(1) <인간실격> 코스모스의 책 이야기

    <인간실격>의 요조는 타고난 유약한 성품과 가정환경, 성장 중에 생긴 사건들로 사람들이 극도로 무섭다. 하지만 그는 인간관계를 단념하지 못하고, 사람들 앞에서 우스꽝스러운 말과 행동을 하며 가면을 쓰고 살아간다. 그리고 마음속 음산한 마음을 혹여나 누가 눈치챌까 두려워한다. 그는 두려움과 회피, 우유부단함으로 사람들과 불안전한 관계를 맺었고, 마약, 동반자살을 시도하기도 한다. 어느 날 그런 요조에게 그를 무조건 신뢰하는 여인 요시코가 다가온다. 요조는 그녀와 결혼하게 되고, 결혼 후에도 여전히 회피하는 삶을 이어간다. 하지만 그는 그녀로 인해 처음으로 행복 비슷한 감정을 느낀다. 그러나 그 사건(!)으로 요조는 돌이킬 수 없는 상처를 입고 결국 '인간실격자'가 된다.

  소설의 제목 <인간실격>은 어떤 의미일까?
  소설 속 요조는 <인간실격>일까?

    소설 <인간실격>은 무라카미 하루키가 존경하는 일본 작가 다자이 오사무의 작품이다. 소설은 주인공 요조 내면의 수치스럽고 예민한 감정을 파헤치며, 그가 결국 파멸로 이르는 과정을 신랄하게 담았다. 작가 다자이 오사무는 전쟁 후 일본 사회의 허위와 위선적인 사회 흐름에 죄의식을 느꼈다. 일본의 가치관과 윤리관에 대해 부끄러움을 느끼고, 그에게 주어진 부유한 환경과 자유조차 몸서리치도록 수치스러웠다. 그래서 그 자신도 요조처럼 다섯 번의 자살 시도 끝에 세상을 떠난다. 그는 자신을 투영시킨 요조의 인간실격 과정을 통해서 인간 내면의 나약함과 위선적, 회피적 감정을 직시하고, 깨어있는 정신으로 반성과 책임감을 느끼고 살아야 함을 보여준다.

우리에게는 분명 불편하고 음산한 감정들이 존재한다. 하지만 우리는 그 감정들을 알아차리지 못하거나, 감정을 인지하고도 회피하고 부정한다. 음산한 감정을 느낀 것만으로 수치스럽게 여기고, 숨기기 바쁘다. 우리는 소설 속 요조를 통해 '대신 울어주듯' 원없이 우리의 못난 내면들과 마주할 수 있다. 또한 억지스런 합리화와 회피가 어떻게 인간을 파멸로 이끄는지를 경험할 수 있다.

소설 <인간실격>을 읽으며, 내 안의 음산한 감정들을 살펴보았다. 내 음산한 감정 속에는 유약한 기질과 가정환경 속 상처들이 있었지만, 그것들 외에도 당연하게 여겨왔던 관계 속 폭력들과 불합리한 사회적 통념, 그리고 이를 마주하고도 어찌하지 못한 죄의식이 영향을 미쳤다. 더불어 나 자신에게 기대했던 바를 스스로 충족하지 못한 것에 따른 좌절감과 자신을 통제하지 못한 패배감도 한몫했다.

중요한 것은 나의 유약함과 음산한 감정 자체보다 그것을 마주하는 태도이다. 상처받은 감정은 안아주고, 불합리한 행태에 휘둘리지 않으며, 내 안의 유약함도 존중해야 한다. 스스로가 마음에 들지 않고, 사회적 위선에 패배감마저 들더라도, 온전한 나로 살기를 포기해서는 안 된다. 스스로가 인간으로서 삶을 포기해 버리면 그것이 바로 '인간실격'이다.

소설을 읽고 내 유약함을 돌보기 위해 더 좋은 책을 읽고, 더 깊이 사색하고, 더 치열하게 나를 사랑해 줘야겠다는 생각이 들었다. 더불어 나와 타인 사이에 균형을 맞추지 못하면, 한없이 무너질 수 있음을 느꼈다. 타인을 위해 무작정 가면을 쓰기 바쁘면, 진짜 내 얼굴은 점점 사라지고, 어떤 모습이 내 모습인지 알 수 없어서 그렇게 나를 잃어간다. 우리는 주변에 휘둘리지 말고, 나 자신으로 살아야 한다. 타인에게 친절하고 배려하는 것도 중요하지만, 나 자신에게는 더 그렇게 해야 한다. 자신에게 더 친절하고, 더 배려해야 한다. 한평생을 함께 살아가는 것은 나 자신이기 때문이다.

소설 <인간실격>은 2023년 민음사에서 가장 많은 판매 부수를 올린 책이지만, 많은 이들이 이 책을 읽은 후 불편감이 들었다고 한다. 어쩌면 내 안의 위선과 오만함, 수치스러운 나약함을 마주하게 되는 소설이기 때문인지 모른다. 하지만 불편한 정면 응시가 필요한 요즘이 아닌가 생각해 본다. 소설을 읽고 스스로에 대한 반성의 시간과 동시에 다시금 나의 내면을 안아주는 시간이 되었다.

책에 대한 감상

코스모스 한 주간 큰일이 있었죠? 우리?

프리지아 우리요? 무슨 일이요?

코스모스 인스타그램에서 어떤 분이 <인간실격>이 최악의 책이라고 하셨잖아요.

네송이 (빵터짐!)

수선화 맞아요. 그런데 책을 읽고 보니 저도 이해가 갔어요. 저에게도 최악의 책 같아요. 반전 없이 충격적인 내용만 이어지고, 이렇게 책을 읽고 찝찝한 기분이 들기는 처음인 것 같아요. 이 책은 '도서 실격'이에요.

프리지아 저도 이해 안 가는 부분들이 많았지만, 타인의 시선을 신경 쓴다는 것은 조금 공감이 가기도 했어요. 요조라는 주인공이 타인의 눈치를 너무 살피며, 본인의 꾸며진 삶이 버거워서 결국에는 타락의 길을 가죠. 조금이나마 공감 가는 부분이 있어서 다른 고전소설 <설국>보다는 그래도 괜찮았어요.

코스모스 (웃음) <설국>이 처음 읽을 때는 난해한 소설이죠.

프리지아 맞아요. <설국>보다는 괜찮았지만, 그래도 너무 우울하게 끝나서 저도 읽고 나서 찝찝했고, 작가의 삶과 주인공 요조의 삶이 너무 비슷한 것 같다는 생각도 들었어요. 그리고 '왜 이렇게까지 할까?', '가족과 대화할 때도 굳이 이렇게 불안과 우울을 안고 말해야 할까?', '익살스러워져야 했던 마음은 뭘까?', '왜 이렇게까지 하며 살았을까?' 하는 의문이 자꾸 들었어요.

수국　　저는 인스타그램에서 최악의 책이라고 말씀하신 것을 보고, 오히려 기대가 없었던 것 같아요. 그래서 열린 마음으로 읽을 수 있었어요. 혼자 읽으면 '짜증 나~ 왜 이래?' 이렇게 생각하며 넘어갔을 것 같은데, 모임을 해야 해서 깊이 생각을 해 볼 수 있었어요. 저는 책을 읽으며 요조가 가면을 쓰는 것 같다는 생각이 들었어요.

코스모스　　저도 공감해요. 저도 가면을 쓰고 있다는 생각이 들었어요. 처음에 소개하는 세 장의 사진에서 어린 시절, 청소년기, 청년기의 사진 모두 각기 다른 가면을 쓴 사진이라서 위화감이 들고, 기괴한 인상을 줬던 것 같아요.

수국　　누구나 가면을 쓰지만, 요조는 그 정도가 심각하죠. 그리고 읽을수록 독자에게 기분 나쁜 요소들을 자꾸 던지는 느낌이에요. 나락으로 빠져드는 모습이나 본인을 드러내지 못하는 모습이 안타까웠어요. 착하지만 너무 찌질하고, 우유부단한 행동들이 안쓰럽기도 했죠. 무엇보다 옆에 이런 사람이 있으면 정말 피곤하겠다는 생각이 들었어요. 옆에 이런 사람이 없었으면 좋겠어요.

코스모스　　저는 너무 슬프고, 괜히 울컥했어요. 우리는 누구나 유약함을 가지고 있잖아요. 그런 유약함을 드러내는 일은 어렵고도 두려운 일이죠. 어떻게 자신의 유약함을 이런 통찰들로 표현했는지 작가가 대단하다는 생각이 들었어요.

수선화　　아~ 정말요?

코스모스 저는 요조를 통해 저의 모습을 봤어요. 저도 정말 유약한 사람이거든요. 유약한 마음은 특별한 시련이 없어도 저 자신을 너무 힘들게 해서 힘든 이유를 설명할 수도 없어요. 차라리 힘든 명분이라도 있었으면 하는 생각에 '명확한 불행'을 기다리기까지 했어요. 책을 읽으며 그런 저의 유약함을 다시금 들여다봤어요. 유약함은 죄가 아니에요. 그저 타고난 천성이거나, 환경적 영향으로 자신도 모르게 약해진 것이죠. 중요한 것은 그런 유약함과 어떻게 함께 살아가느냐인 것 같아요.

프리지아 그럴 수도 있겠네요.

코스모스 요조가 이렇게 된 데에는 인간의 폭력성도 한몫을 한 것 같아요. 주변의 기대, 시선, 압박, 위계 등이 요조에게 폭력적으로 다가왔죠. 이 소설은 관계에 대한 통찰이 담겼어요. 타인과 나 사이의 균형에 대한 것이죠. 요조의 관계 저울은 심각하게 타인에게 기울어져 있어요. 90%도 아니고 100%가 타인에게 있어요. 그래서 이렇게 타락하고, 도덕적인 의식마저 무너지고, 결국 자신을 지키지 못하고, 주변까지 불행하게 만들죠.

수국 맞아요. 어쩌면 유약함과 착함은 함께 가는 것 같아요.

소설 제목에 대해

코스모스 제가 이 소설을 선정한 이유는 소설 제목도 한몫했어요. 소설 제목이 의미하는 바를 알고 싶었어요. 소설의 제목은 왜 <인간실격>일까요?

프리지아　저는 소설 속 요조가 인간성을 내려놓은 느낌이었어요. 유독 더 인간관계에 민감하고 공포를 느꼈고, 결국 견디지 못하고 무너지죠. 이는 본인이 선택한 것이라 생각해요. 소설 마지막에 요조를 알던 이가 이렇게 말해요.

> *우리가 알던 요조는 아주 순수하고 자상하고…… 술만 마시지 않는다면, 아니, 마셔도…… 하느님처럼 좋은 사람이었어요.* - P.136

주변인은 그를 이렇게 보죠. 그는 타인이 보기에는 좋은 사람이지만 그 자신은 삶을 포기했어요. 어쩌면 <인간실격>이라는 제목은 인간다운 삶을 포기한 이를 의미하는 것 같아요.

수국　저는 <인간실격>은 '더 이상 나는 인간이 아닙니다.'라고 요조 스스로 말하는 것 같아요. 소설 중간에도 이런 문장이 있었죠.

> *인간실격. 이제 저는 더 이상 인간이 아니었습니다.* - P.130

스스로가 자신을 '인간실격'이라고 결론지은 것을 의미하는 것 같아요.

수선화　저도 사회적 역할에 대해 스스로 내려놓으며, 요조 자신이 '인간실격'이라고 생각해서 소설 제목이 지어진 것 같아요. 누구나 사회적 기대를 충족시키고자 하고, 눈치를 보고 살지만 요조는 정도가 좀 과한 것 같아요.

코스모스　저는 <인간실격>이라는 제목이 인간의 어떤 자격 기준에서 실격이라는 말인지, 인권이 없는 삶인지, 인간성 결여라는 것인지, 인간다운 삶에서 실격이라는 것인지,

그 의미가 궁금했었거든요. '이런 삶이 <인간실격>이
다'라고 독자에게 전하는 소설이라서 제목을 그렇게 지
었다고만 생각했어요. 그런데 세 분 말씀을 들어보니,
'스스로 인간 실격이라고 결론지어버린 삶은 이렇게 흘
러간다'라는 의미일 수도 있겠네요.

가장 최악의 포인트는?

수국   저는 요조의 회피적 행동들이 극단에 치솟는 부분들이
너무 이해 안 갔어요. 소설 속에 그런 장면이 있어요.
시게코라고 요조를 아무 거리낌 없이 '아빠'라고 부르
는 아이가 말하죠.

> *"아빠, 기도하면 하느님이 뭐든지 들어주신다는 게 정말이
> 야?" 저야말로 기도하고 싶다고 생각했습니다. 아아, 저에
> 게 냉철한 의지를 주소서. '인간'의 본질을 알게 해 주소
> 서. 사람이 사람을 밀쳐 내도 죄가 되지 않는 건가요. 저에
> 게 화낼 수 있는 능력을 주소서. - P.89*

그는 아무에게도 상처 주고 싶지 않은 사람이에요. 그
래서 타인에게는 좋은 사람이죠. 하지만 자신에게 숱하
게 상처를 주는 사람이에요. 그가 책임지고 싶지 않아
회피한 것들이 결국 그의 삶을 나락으로 이끈 것 같아요.

코스모스 저는 요시코로 인해 그가 무너져 내리는 부분이 오래
기억에 남았어요. 요조의 아내였던 요시코는 성폭행을
당하고, 그 장면을 요조는 목격하게 되죠. 하지만 그때
조차 요조는 목석같이 멈춰 서있다가, 결국 옥상으로
도망치죠. 이 부분은 정말 이해되지 않았어요. '어떻게

이럴 수 있나…. 이런 상황에서조차 분노하거나, 방어
할 수 없는 것인가….' 라는 생각이 들었죠. 요조가 유
일하게 마음을 주었던 여인이 요시코잖아요. 그런 그녀
가 폭력을 당하는데 그때조차 그는 도망을 치죠.

프지리아 맞아요. 그랬어요.

코스모스 요조는 그토록 순수하게 타인을 믿었던 요시코가 훼손
당하자, 순수함이 타인의 폭력으로부터 지켜지지 못한
것에 대해 심각한 패배감을 느끼죠. 결국 그는 이후 극
단적으로 무너져 내리죠. 타인을 향한 무조건적 신뢰의
상징이었던 요시코마저 타인과의 관계 속에서 무너지
자, 그는 참을 수 없이 좌절했던 것 같아요.

수국 생각해 보면 이 소설이 불쾌감을 주는 이유는 소설 속
에서 나를 봤기 때문인 것 같아요. 나의 내면 깊숙한
곳에 있었던 두려움과 공포, 유약함, 회피 이런 것들을
이 소설을 통해 마주하기 때문이죠.

코스모스 저는 소설을 보며, <이방인>의 뫼르소가 떠올랐어요.
그는 타인과의 관계 속에서 방관을 선택했어요. 그 역
시 타인에게 수동적으로 끌려다니죠. 결혼조차 그녀가
원하면 하겠다고 해요. 그리고 결국은 타인에게 끌려다
니다가 살인까지 하게 되죠. 관계 속에서 부담과 피로
감을 느낀 것은 뫼르소도 마찬가지였던 것 같아요.

프리지아 저는 이 부분이 오래 기억에 남았어요. 요조는 알고 있
었어요. 자신은 사람들이 그를 좋아하는 것을 두려워한
다는 것, 이 두려움이 자신을 불행하게 한다는 것을요.

무엇보다 이해가 안 되는 부분이 이 부분이에요. '그는 알고 있는데, 왜 이렇게까지 사람들이 좋아할 만한 행동만 하려고 할까? 왜 그는 그토록 무서움을 느끼면서도 사람들 곁에서 떠나려 하지 않을까?'라는 생각과 함께 '나였으면 어땠을까?' 하고, 고민하게 되더라고요.

> 내가 얼마나 모두를 무서워하는지. 무서워하면 할수록 남들은 나를 좋아해 주고, 남들이 나를 좋아해 줄수록 나는 두려워지고 모두한테서 멀어져야만 하는, 저의 이 불행한 기벽을 시게코한테 설명하는 것은 어려운 노릇이었습니다. - P.90

자살에 대한 사회적 시선의 변화

코스모스   저는 <인간실격>의 해설에서 이 부분이 충격적이었어요. 자살이 정의로운 죽음으로 평가된다는 것이요.

> 세네카가 지상에서 가장 아름다운 것으로 칭송한 카토의 '의지적 죽음', 즉 자살은 "자기 목숨으로 자유의 가치를 조명해 낸" 정의로운 죽음으로 평가되었다. - P.161 [작품해설-민음사, 2024]

프리지아   저도요. 그리고 자살이 종교에 의해 시선이 달라지다니, 종교의 영향력이 정말 어마어마한 것 같아요.

> 자살이 기독교에 의해 비난의 대상으로 규정되기 200년 전의 얘기다. - P.161 [작품해설-민음사, 2024]

직소??

수선화   저는 마지막에 갑자기 왜 기독교적 이야기들이 나오는지 이해가 가지 않았어요.

코스모스 기독교적 이야기요? 혹시 이어지는 단편 <직소> 이야
기인가요? 그 소설은 <인간실격>과는 다른 소설이에요.

수선화 정말요? 어쩐지 연결이 안 되더라고요. (웃음)

프리지아 정말요? 저도요. 이해가 되지 않아서 너무 답답했어요.

코스모스 (웃음) 제가 <이방인> 소설에 이어지는 <배교자>에
당해서 알고 있죠. 두 분도 당하셨네요.

네송이 (빵터짐!)

최악의 도서인가?

코스모스 수선화님 최악의 도서라고 하셨는데, 오늘 어떠셨어요?

수선화 (웃음) 이야기를 나누고 보니 최악까지는 아닌 것 같아요.

네송이 (빵터짐!)

수선화 주인공은 인간이 두려웠던 것 같아요. 갈수록 정당화되
지 않는 상황 속에서 점점 더 회피만 하는 주인공이
안쓰럽기도 하지만 답답하기도 했어요. 자꾸 '왜?'라는
생각만 이어지고, 시원한 답이 나오지 않는 소설이라서
더 답답하고 불편한 마음만 들었던 것 같아요.

코스모스 이것이 고전의 매력인 것 같아요. 자꾸 이유를 생각하
게 하는 것이요. 그리고 조금이라도 더 이해하기 위한
사색으로 이끌죠. 완전히 납득되지는 않지만, 그가 그랬
던 이유를 스스로 찾아내며, 삶과 인간을 포용하는 폭
이 조금씩 넓어질 수 있는 것 같아요.

수선화 그런 것 같네요. 저는 고전을 많이 접하지 않아서 어렵

다고만 생각했는데, 말씀하신 것처럼 '왜?'라는 사색을 유도한다는 것은 정말 도움이 돼요.

코스모스 저는 요조처럼 유약한 사람이었어요. 그래서 더 많이 사색했죠. 살기 위해서요. 그랬더니 그것이 저를 더 단단한 사람으로 만들어줬어요. 그리고 다른 사람들의 내면을 이해할 수 있게 했죠. 이는 제가 일을 하는 데에도 도움이 되었어요. 유약한 사람인지 아닌지보다는 유약함과 어떻게 함께 살아가는지가 중요한 것 같아요.

수선화 맞아요. 유약함을 잘 활용할 수 있는 것 같아요. 저는 그저 정직하고 바르게 살고, 배려하는 삶이 최선이라고만 생각했어요. 하지만 무엇보다 내게 중요한 가치를 알고, 그것들의 우선순위를 잡아야겠다는 생각이 들었어요. 그리고 이런 사색을 통해 자존감도 높아질 수 있겠다는 생각이 들었어요.

코스모스 오늘의 주인공은 수선화님이시네요. 최악의 도서에서 이렇게 많은 통찰을 얻으셨으니까요.

프리지아 저는 고전 책을 많이 읽어보지는 않았는데, 고전은 대부분 새드엔딩인 것 같아요. 사실 저는 고전 책을 읽기 전엔 드라마도 해피엔딩인지 확인하고 보는 편이었어요. 해피엔딩이 아니면 우울한 감정선에 너무 깊이 공감되어 힘들더라고요. 하지만 고전의 새드엔딩 덕분에 삶의 본질을 다시금 생각해 보게 되었어요. <인간실격>은 특히, 자신을 더 깊게 들여다볼 수 있는 책이에요. 이야기하면서 못 본 부분도 살피게 되고, 특히 회피 성향에 대해 생각했어요. 저의 유약함이 회피로 이어지고, 그로 인한 결말이 이렇게 이어진다는 것을 보며, 오늘도 사고를 확장해 나가는 시간이었어요.

수국   저는 읽으면서 요조와 내가 뭐가 다른지 생각했어요. 나는 요조와 어떻게 다른 사람인지 정리해 봤어요.

코스모스   수국님은 요조와 어떤 부분이 다른 사람이세요?

수국   분명 요조는 안쓰러운 사람이에요. 하지만 관계에 균형을 못 잡으면 삶이 이렇게 무너져 내린다는 것을 알게 되었어요. 아이들에게도 이 부분을 알려주려고요. 이 소설 이야기를 해주면서요. 기대에 맞춰서 살아가려는 강박에서 벗어나서 내가 결정하고, 우선순위를 지키며 살아야겠다고 생각했어요. 그것을 저는 알고 있다는 것이 요조와 다른 부분인 것 같아요.

코스모스   저는 모임 하기 전에는 〈인간실격〉이라는 제목의 의미를 이렇게 다양하게 생각하지 못했어요. 오늘도 이야기를 나누면서 더 많은 부분을 생각할 수 있고, 심각하고 진지한 이야기를 나눌 수 있는 것도 너무 좋았어요. 지금 우리 오전 10시잖아요. 밝은 아침 시간이요. (웃음)

네송이   (빵 터짐!) 맞아요. 오전 10시네요.

지금까지 최악의 도서에서 가치를 발견한 수선화, 최악의 요조에게서 가치를 발견한 수국, 최악의 나에게서 가치를 발견한 코스모스, 최악의 새드엔딩에서 가치를 발견한 프리지아였습니다.

3. 나의 서툰 마음 마주하기
- 제롬 데이비드 샐린저 <호밀밭의 파수꾼>

(1) <호밀밭의 파수꾼> 코스모스의 책 이야기

　<호밀밭의 파수꾼>은 주인공 콜필드가 퇴학 후, 퇴학 통지가 부모님께 전달되기까지의 2박 3일간의 여정을 담고 있다. 콜필드는 위선적이고 속물적인 어른들에게 혐오감을 가진 인물이다. 그는 세상을 향한 분노로 가득 차 있으며, 친구에게 걷잡을 수 없이 화를 내 싸움을 만들고, 친구의 어머니에게 성적 매력을 느끼며 치근덕대고, 밤늦게 매춘부에게 전화를 걸어 만나자고 매달린다. 그는 서툴고 미성숙한 행동들을 끊임없이 이어가고, 결국 자신의 소중한 여동생에게 욕설을 내뱉기에 이른다. 콜필드는 왜 이런 행동들을 했을까? 그가 정말로 원하는 것은 무엇이었을까?

　<호밀밭의 파수꾼>은 사춘기 소년의 서툰 생각과 표현, 행동을 조명한 소설로 어색하기 그지없는 비속어들이 난무한다. 과한 욕설도 아니고, 억지스럽기 그지없는 말 그대로 서툰 비속어들이다. 처음 소설을 읽었을 때는 '왜 이런 비속어들로 표현해 놨을까?' 하는 의구심이 일었다. 그리고 소설을 읽어나가며 이 또한 사춘기 소년의 서툰 표현을 드러내기 위함이라는 것을 알게 되었다.

　질풍노도의 시기를 보내고 있는 콜필드는 '호밀밭의 파수꾼'을 꿈꾼다.

소설의 제목 <호밀밭의 파수꾼>은 넓은 호밀밭에서 아이들이 자유롭게 뛰어놀고, 그들이 절벽으로 떨어지지 않게 지켜주는 그런 파수꾼이 있었으면 하는 콜필드의 바람이 담겨있다. 그리고 그 자신 또한 그런 파수꾼이 되고 싶어 한다.

<호밀밭의 파수꾼>의 저자 J.D. 샐린저는 이 단 한 편의 작품으로 세계적인 명성을 얻었다. <호밀밭의 파수꾼>은 성장소설의 대표주자로 미성숙하고 서툰 마음을 가감 없이 드러내며, 소설을 통해 이 시기에 닿아있는 이들의 마음을 조금이나마 알아차릴 수 있다.

학창 시절, 장난을 치다가 친구의 배를 주먹으로 때린 적이 있었다. 그저 장난으로 때렸는데, 세게 때리는 것이 더 실감 날 듯하여 과한 액션을 취했고, 맞은 친구는 너무 아프다고 울었다. 나는 순간 미안하고 걱정되고 무안해졌다. 친구는 눈물을 글썽거리며 아픈 배를 움켜잡았고, 나는 어찌해야 할 바를 몰라 얼굴이 굳어졌다. 사과는 하지 않고, 표정이 굳어진 나를 보고 친구들은 당황했다. 나는 점점 사과할 타이밍을 잃어간 채 수치스러움과 죄책감을 느꼈다. 그리고 20년도 훨씬 지난 지금, 오늘 먹은 점심 메뉴는 잊어버리면서도 그때의 일은 잊지 못하고 있다. 그저 사과하면 되었을 것을 왜 그때는 그게 그렇게 안 되었는지, 지금 생각하면 괜히 안쓰럽기도 하다.

<호밀밭의 파수꾼>의 콜필드를 보며, 어찌할지 모르는 서투름으로 사서 속앓이를 하고, 20년이 넘도록 이 일을 끌어안고 죄책감을 느끼

는 나를 마주했다. 그때는 괜히 화가 나 있었다. 부끄러움과 미안함, 슬픔과 어색함이 모두 '화'라는 감정으로 서툴게 표출되었다. 굳이 거칠게 표현하거나, 애써 표현하지 않는 것이 있어 보였다. 그때 나는 너무 뜨거웠고, 그 열기는 분명 의미가 있었지만, 감당하기는 힘들었다. 소설을 읽으며, 어느새 시간이 흘러 까맣게 잊고 지냈던 한없이 서툴렀던 내 지난 과거들을 돌이켜보았다. 그리고 지금 내 주변의 사춘기 아이들을 떠올리며, '서툴러서 그랬구나' 하는 생각이 들었다.

그리고 지금의 나도 여전히 서툴러서, 그런 나의 행동으로 사람들과 오해가 생길 수 있겠다는 생각도 들었다. 세상은 서툰 사람투성이다. 중요한 것은 서툰 행동과 마음을 알아차리는 것이다. 그것을 알아차리고 개선하든, 수용하든, 공감하든 그것은 다음 일이다. 누구든 미숙함을 인정할 때, 가장 성숙해 보인다.

누구든 한평생이 서툴다. 처음 사는 인생이고, 처음 겪는 일투성이다. <호밀밭의 파수꾼>을 읽고 세상의 서툰 마음과 행동에 대해 좀 더 너그럽게 안아주고 싶은 마음을 가져본다.

(2) <호밀밭의 파수꾼> 책수다 이야기

책에 대한 감상

코스모스   수국님. 도서 선정 이유 먼저 들어볼게요.

수국   <호밀밭의 파수꾼>은 <위대한 개츠비>와 함께 미국

대표 소설로 손꼽히는데요. 이 책 후기를 보면 굉장히 호불호가 갈리는 것 같아요. 어떤 사람들은 이 책의 묘미를 잘 모르겠다고 하지만 무라카미 하루키는 이 소설을 극찬했어요. 이렇게 다른 감상평들을 보며, 직접 읽고 판단해 보고 싶어졌어요.

코스모스 무슨 말인지 너무 알 것 같아요. 호불호가 생길 것 같아요. 처음에는 책 속의 비속어가 너무 황당했어요. '왜 이러는 거지?' 하는 생각이 들었어요.

수선화 저도 '이 어색한 비속어를 어떻게 해석하지?' 하는 생각이 들더라고요.

수국 지금 우리가 읽은 책은 <호밀밭의 파수꾼> 개정판인데요. 개정판 전 책은 번역이 비속어를 못 살렸다고 해서 비판을 많이 받았어요.

코스모스 이 책은 읽을수록 번역이 힘든 책이라는 생각이 들었어요. 비속어를 이대로 살리자니, 좀 센 것 같기도 하고, 그렇다고 한풀 죽이자니 이 소설이 전하고자 하는 바가 잘 안 살아날 것 같기도 해요.

수선화 맞아요. 번역가의 고뇌가 느껴져요. '겁나', '그런 것들', '엉덩이에 가시가 박힌 듯' 이런 말들이 계속 나오는데, 이 어색한 비속어들이 소설 후반부로 갈수록 왜 이렇게 표현되어야 했는지 너무 잘 알겠더라고요.

수국 저는 이 책 원문이 너무 읽고 싶더라고요. 도대체 어떻게 쓰여 있는 건지 궁금해졌어요.

코스모스 저도요. 그리고 이 책은 작품 해설, 요약도 없고, 주석도 아주 최소한만 담겨있어요. 저는 고전소설 읽으면, 뒷부분에 요약된 내용이나 작품 해설을 읽고 나서 본문을 읽어야 그나마 좀 몰입되는데, 그게 없어서 아쉬웠어요.

수선화 이 책은 사춘기 소년의 허세와 사회에 대한 불만들, 답답함이 무질서하게 뒤섞여 있는 것 같아요. 소설 속에 비속어들도 사춘기 소년의 상징적인 표현 같아요.

책에서 인상 깊었던 에피소드

프리지아 이 책은 주인공 콜필드의 2박 3일간의 스토리였어요. 저는 꽤 시간이 흐른 줄 알았는데, 블로그 글을 찾아보고 2박 3일의 이야기라는 걸 알았어요.

코스모스 2박 3일이었어요? 저도 몰랐네요. (웃음)

프리지아 (웃음) 줄거리 파악부터가 좀 혼란스러웠어요.

코스모스 소설 앞부분에서 콜필드는 퇴학당한 후, 기숙사 룸메이트가 자신이 좋아했던 여자를 만난다는 것을 알게 되죠. 그는 룸메이트에게 괜히 화내고, 시비를 걸다가 결국 엄청나게 얻어맞아요. 그러고는 혼자 분노를 삭이지 못하고, 씩씩거리다가 결국 냄새가 지독하다고 툴툴대면서 옆 방으로 가서 자죠. 전형적인 사춘기 아이 같아요.

수국 맞아요. 기차를 타고 친구의 엄마를 우연히 만나 대화를 나누고, 친구 엄마 미소가 아름답다며 치근덕대기도 해요.

코스모스 호텔에서도 늦은 밤 여자에게 전화를 걸어서 만나자고 하고, 바에서도 여자들이랑 놀려고 치근덕대죠.

수국 콜필드는 참 많이 외로웠던 것 같아요. 공허하고, 갈증 나는 마음을 채우려고 누군가를 만나고 싶어 하는 것 같아요. 그 자신도 스스로가 마음에 들지 않는데, 누군가는 자신을 알아봐 주기를 바라는 것 같아요.

사춘기 아이들에게는 어떻게 마음을 건네야 할까?

코스모스 콜필드에게는 어떤 어른이 있었으면 좋았을까요? 어떻게 해 줘야 조금 위로를 받을 수 있을까요?

수국 글쎄요. 잘 들어주는 것이 가장 좋을 것 같아요. 어떤 마음인지 어떤 것이 힘들고, 왜 답답한지 들어주는 것만으로도 마음이 좀 해소될 것 같아요.

코스모스 말을 한다면 들어주겠는데, 솔직히 말을 잘하지 않으려고 할 것 같아서요. 말하지 않으면, 이 친구가 말을 꺼낼 수 있도록 해 줘야 할 것 같은데, 말해도 괜찮은 안전지대라고 느낄 수 있게 해주고 싶은데, 어떻게 하는 게 좋을까 하는 생각이 드네요.

수선화 신뢰가 중요한 것 같아요. 평소에 얼마나 신뢰를 주며 아이를 존중해 왔는지에 따라 솔직하게 표현하고, 말하게 되는 것 같아요.

코스모스 저는 상담하면서 보호관찰 중인 청소년들을 상담한 적이 있었는데요. 그때 저는 20대였는데, 그 친구가 저를 볼 때 솔직히 이야기할 수 있는 사람이었으면 했어요. 그래서 마냥 친절하려고 애썼는데, 이 친구가 차비가 필요하다며, 자꾸 돈을 달라고 하고, 장난만 치려고 했어요. 편하게 말을 할 수 있는 사람은 되었는데, 좋은 방향으로 이끌어주는 좋은 어른이 못 되었던 것 같아요. 그런데 40대인 지금도 여전히 좋은 어른인지는 모르겠어요.

프리지아   저는 10년 동안 학원에서 아이들을 가르쳤는데요. 이 책을 보면서 '그때 아이들이 그렇게 표현했던 이유가 이거였구나….' 하는 생각이 들었어요. 지금도 완전히 이해할 수 있을지는 모르겠지만, '아이들이 이런 마음이었구나….' 하는 생각이 들더라고요.

책수다 소감

수국   공부도 못 해봐야 공부 못하는 사람 마음을 알고, 사춘기도 호되게 겪어봐야 사춘기 아이들의 마음도 잘 알 수 있는 것 같아요.

코스모스   이 책은 서툴기 그지없는 사춘기 소년을 표현한 소설 같아요. 서툴다는 말이 가장 잘 어울리죠. 상대에게 어떻게 표현해야 할지, 본인이 어떤 부분에, 왜 갈증이 있는지, 스스로가 얼마나 외로워하는지도 알아채지 못하는 서투름 그 자체예요. 사춘기가 그래서 힘들어요. 콜필드를 보며 답답하기도 했지만, 안쓰럽고, 안아주고 싶은 마음도 들었어요. 저도 사춘기를 콜필드처럼 세게 치렀는데, 나이를 먹고 그 시절을 다 잊고 지냈어요. 그래서 소설을 읽을 때는 답답하고, 이해가 안 되는 부분이 많았는데, 책수다를 나눠보니, 문득 제 과거가 생각나며 사춘기 아이들의 마음을 다시금 공감했어요.

수선화   서툴다는 말이 정말 공감이 가요. 마지막에 콜필드가 동생과 이야기 나누는 부분이 있는데, 저는 그 장면이 너무 인상 깊었어요. 그 부분을 읽으며 우리 아이들의 꽁냥거리는 모습이 떠올랐어요. 두 아이가 서로 꽁냥꽁냥하는 모습을 보며, '이래서 내가 그 고생을 했지' 하는 생각을 했었거든요. 이 부분을 보며, 그동안 서툰 행동으로 답답하기만 했던 콜필드가 우리 아이들과 겹쳐지면서, 문득 '정말 그냥 아이였구나' 하는 생각에 안쓰러운 마음이 들게 되었어요. 그런데 수국님은 어떻게 고전을 그렇게 깊이 있게 읽어요?

수국   네??? 저요? 저는 저 자신이 책을 제대로 읽지 못한다고 생각하곤 했어요. 그래서 책을 읽으면서 열심히 메모도 하고, 유튜브도 찾아보면서 캐릭터들의 특징이나 시대적 배경 등을 알아보려고 노력했어요.

코스모스   한 권의 책을 정성 들여 읽으시는 것 같아요. 덕분에 저희가 발견하지 못했던 책의 재미들을 알아차릴 수 있게 되는 것 같아 감사합니다.

수국   (수줍) 아니에요. 저를 위해 시간까지 옮겨서, 마지막까지 함께 할 수 있도록 해 주셔서 감사할 따름입니다.

코스모스   역시 오늘도 훈훈한 네 송이네요. (웃음)

지금까지 사춘기가 혼란스러웠던 코스모스, 번역이 혼란스러웠던 수선화, 청소년과의 시간이 혼란스러웠던 프리지아, 이 모든 혼란스러움을 정돈해 준 수국이었습니다.

3. 인간의 악한 마음 마주하기
- 임레 케르테스 <태어나지 않은 아이를 위한 기도>

(1) <태어나지 않은 아이를 위한 기도> 코스모스의 책 이야기

소설 <태어나지 않은 아이를 위한 기도> 속 '나'는 작가이자 번역가로 아우슈비츠 수용소를 경험하며, 인간의 잔인함과 불합리함을 뼛속 깊이 혐오한다. 그는 젊고 아름다운 유대인 아내가 있지만, 아이가 있느냐는 질문에는 단호하게 "아니오!"라고 말하고, 아이를 갖고 싶다는 아내의 이야기에는 "안돼"라고 외친다. 그에게 세상은 그 어떤 존재에게도 경험하게 하고 싶지 않은 비극 그 자체였다. <태어나지 않은 아이를 위한 기도>는 이런 그의 자전적 소설로 인간 내면에 대한 깊은 사유가 주를 이룬다.

이 소설은 노벨문학상 수상 작가 임레 케르테스의 인류의 비극과 개인의 운명에 대한 성찰이 담긴 '운명 4부작'의 세 번째 작품이다. 임레 케르테스는 1973년 13년의 집필 기간을 거친 첫 소설 <운명> 이후 의미상 속편에 해당하는 <좌절>, <태어나지 않은 아이를 위한 기도>까지 2차 세계대전 중 나치 독일이 자행한 유대인 대학살을 의미하는 '홀로코스트 3부작'을 집필하였다. 이후 그는 2002년 노벨문학상을 수상했으며, 이듬해 <청산>을 발표하며 이를 포함해 임레 케르테스의 '운명 4부작'을 완성한다.

소설을 읽고, 인류의 비극을 만든 인간의 잔인함에 대해 생각해 보았다. 아우슈비츠 수용소를 경험한 화자는 수용소 안과 밖에서 인간의 잔인함을 인식하며, 그것은 바이러스 퍼지듯 너무도 쉽게 퍼져나가고, 곳곳에 숨어있다가 다양한 방식으로 모습을 드러낸다고 전한다. 소설을 읽고, 악은 생각보다 당연하고, 자연스럽게 자리를 잡기도 하며, 평범한 모습을 한 채 우리 주변에 도사리고 있다는 생각이 들었다. 이와 관련된 영화와 실험이 있다.

나치 학살에 관한 실화를 다룬 영화 <한나 아렌트>에서는 '악의 평범성'을 이야기했다. 영화는 유대인 철학자이자 정치 사상가 한나 아렌트가 나치 친위대 중령 아돌프 아이히만이 체포된 후 재판 과정을 취재한다. 그는 유럽 각지에 있는 유대인을 체포하고, 강제 이주시킨 인물이다. 그는 체포당한 후 법정에 섰고, 당시 재판은 전례 없이 이를 생중계했는데, 많은 사람이 그의 모습에서 충격을 받았다. 그는 아주 평범한 중년 남성이었고, 재판을 받는 동안에도 너무나 평범한 얼굴로 무심하고 침착하게 이야기를 이어갔다. 그리고 잘못을 인정하느냐는 질문에 자신은 시키는 대로 했을 뿐이라며, 무죄를 주장했다. 영화는 악이란 뿔 달린 악마처럼 별스럽고 괴이한 존재가 아니라 선과 마찬가지로 우리 곁에 있다고 말한다. 또한 '누구나 다 하는데, 뭐', '시키는 대로만 하면 돼,'라는 생각은 위험하다고 경고한다.

나치 학살 중 권위의 복종을 조명한 밀그램 실험도 있다. 실험은 평범한 사람을 모집해서 교사 역할을 주고, 학생 역할을 하는 이에게 문제에 오답을 이야기하면 전압을 순차적으로 올리며, 전기를 주입하게 한다. 학생 역할과 전기 충격 설정은 가짜였다. 학생은 고통스러운 연기를 한 것이지만, 피험자는 이를 실제로 여겼고, 그들 중 65%는 전압을 최대까지 주입했다. 이 실험은 결과를 과장하고, 무리한 연출을 한 것 등으로 문제가 제기되었다. 하지만 이 실험은 권위의 복종과 평범한 사람이 악이 될 수 있다는 문제 인식을 유도했음은 틀림없다.

과거 우리는 학교에서 매를 맞는 일을 당연히 여겨왔다. 발로 차이고, 뺨을 때리는 선생님의 체벌을 그저 감당해 왔다. 때리는 선생님도 맞는 학생도 이것이 잘못되었다는 것 자체를 인식하지 못했다. 하지만 이것은 엄연히 폭력이었다.

우리는 권위자의 말은 비판 없이 신뢰하고, 다수의 의견은 무심결에 동조한다. 하지만 이는 위험한 일이다. 어쩌면 그것이 인간의 악함으로 비극을 만드는 시작점이 될 수 있다. 우리는 깨어있어야 한다. 권위자의 조언, 다수의 의견, 당연시했던 문화라도 다시금 생각해 보고, 스스로 판단해야 한다. 지금의 이 생각과 행동이 옳은지, 내가 허용해도 될지, 스스로 판결자가 되어야 한다. 그래야 우리도 모르게 저지를 수 있는 잘못에서 멀어질 수 있다. 그래야 우리는 좀 더 나은 삶을 살 수 있다.

소설은 한 문장이 긴 호흡으로 이어지고, 한 페이지를 넘기기까지 오랜 시간과 깊은 사색을 요구한다. 하지만 무겁고, 어려울지라도, 이 소설과 함께하는 사유들은 살아가는 데에 의미 있는 일임은 분명하다.

책에 대한 감상

수선화 제가 오늘 책을 선정했는데요. 저는 아우슈비츠 수용소를 배경으로 한 소설이라서 수용소의 잔혹성과 이를 겪은 사람들의 처절함을 조금 더 알 수 있을 듯해서 이 소설을 선정했어요. <안네의 일기>처럼요. 그런데 제 생각과는 좀 다른 것 같아요. 이 책은 수용소를 경험하긴 했지만, 그 이야기가 주를 이루는 것은 아니고, 이후의 삶에 대해 조명하는 듯한 느낌을 받았어요.

코스모스 제 인생 책이 빅터 프랭클 <죽음의 수용소에서>인데요. 그 책을 보면 수용소의 잔혹함이 조명되어 있어요. 책에서는 어쩔 수 없는 참혹한 환경 속에서는 삶의 의미를 생각하고, 태도를 바꾸는 것밖에 선택할 수 없다고 해요. 그러한 선택은 지옥 같은 환경에서도 살아있는 순간들을 의미 있게 해주죠. 제 삶의 태도를 완전히 바꾸게 해준 책이었어요. 책을 읽고 빅터 프랭클이 설명하는 로고테라피에 관심 두게 되었고, 그래서 이것을 바탕으로 삶의 의미에 관한 석사 논문을 쓰기도 했죠.

수선화 그렇군요. 그 책도 읽어보고 싶네요.

프리지아 <태어나지 않은 아이를 위한 기도>는 처음부터 끝까지 독백체로 이루어져 있어서 더 읽기 힘들었어요. 혼자서 계속 생각이 흐르는 것을 그대로 옮겨놓은 책 같아요. 그래서 혼자 읊조리는 내용이 맥락도 파악하기 힘들고, 솔직히 노벨문학상 수상작은 읽으면 안 될 것 같다는

생각을 다시금 했어요. 너무 어려워요. <설국>을 읽었
을 때도 너무 어려워서 노벨문학상 수상작은 읽지 말
아야겠다고 다짐했었는데 이번에 또 읽게 되었네요. 그
래도 <설국>은 스토리는 명확했는데, 이 책은 스토리
도 모르겠고, 문장 마침표도 제대로 찍혀있지 않아서
어디서 문장이 끝나는 것인지도 알 수 없어요.

코스모스   맞아요. <설국> 읽으면서 많이 어려워했었죠. 나중에는
<설국>의 매력을 알고 너무 신나게 이야기 나눴는데,
확실히 노벨문학상 수상작은 재독이 필수인 것 같아요.

프리지아   저는 특히 이런 부분이 너무 어려웠어요.

> *어수선하게 한 덩어리가 되어 무의식적인 경련을 동반한*
> *이완과 수축을 반복하며, 살아 숨 쉬고 있는 고깃덩이와*
> *유사한 무리로부터 그녀가 벗어났던 그 순간; - P.31*

이게 대체 무슨 말이죠? 심지어 아직 한 문장이 끝나
지도 않았어요. 문장 중간에 세미콜론은 어떻게 받아들
여야 하며, 한 문장이 너무 길고, 어려운데 어떻게 의
미를 파악하겠냐고요.

코스모스   프리지아님. 화 나신 거 아니죠? (웃음)

네송이   (빵터짐)

프리지아   화는 안 났어요. (웃음) 근데 정말 문장이 길어서 문장
앞부분 내용을 잊어버리게 되고, 문장이 마무리 되는 듯
했는데, 안 끝나니, 한 문장을 이해하는 것도 어려워요.

수국   저도 정말 모르겠더라고요. 아내와 이혼하는 과정에 관

한 이야기도 나오는데, 자기 혼자 독백하는 것으로 그냥 끝이에요. 이건 뭘 이야기하고 싶은 것인지 모르겠고, 이런 남편이 있으면 정말 힘들 것 같아요.

수선화   이 책은 작가가 평소에 메모해 놓은 것들을 엮은 책이라고 했어요. 제가 이 책을 추천해서 끝까지 읽기는 했는데, 읽으면서 괜스레 다른 세 분은 어떻게 읽으실지 너무 궁금해지더라고요. 특히, 코스모스님이 어떻게 읽으셨을지 궁금했어요. 매번 제가 난해하다고 생각했던 책들을 오히려 흥미롭게 읽고 좋아하셨던 것 같아서요. 저랑 취향이 다른 사람의 책 감상이 정말 들어보고 싶은 책이었어요.

코스모스   저는 솔직히 정말 너~~~무 좋았어요.

세송이   (당황)

코스모스   저는 저번 주에 병원에 입원했었는데, 병원에서 일하려고 노트북이랑 야무지게 챙겨갔었어요. 그런데 병원 와이파이가 너무 느려서 일을 못 하게 되어, 이 책을 온종일 아주 느리게 음미하며 읽었어요. 근데 너무 제 스타일인 거죠. 덕분에 힐링하는 시간을 보냈어요.

수선화   대체 어떤 부분이 좋았다는 건지 너무 궁금해요. (웃음)

코스모스   이 책은 크게 세 부분으로 사유해 볼 것들이 있어요. 가장 먼저 아우슈비츠 수용소가 불러온 한 인간의 끝나지 않는 불행이죠. 그리고 두 번째는 글 쓰는 삶을 사는 사람에 대한 고뇌와 사명감이고, 세 번째는 아내와의 이혼을 통한 인간관계에 대한 사유를 다루고 있어요.

저는 세 가지 모두 많이 공감되고, 사유할 것들이 많았던 것 같아요. 그리고 특히 책 속 문장들이 저도 고민했었던 것을 함축적으로 표현해 줘서 너무 좋았어요.

세송이 (갸우뚱!)

코스모스 저는 이 책을 한 단어로 말하면 '인식'이라고 생각돼요. 삶에 대해, 세상에 대해, 자신에 대해 끊임없이 새롭게 '인식'하고 있어요. 그의 독백이 왔다 갔다 하는 것도 '인식'의 '과정'이기 때문이죠. 어떤 것을 판단하고 끝내는 것이 아니라, 다시금 생각하고, 또 생각해 보는 그 과정을 풀어내는 것이 이 책의 매력인 것 같아요.

N형 vs S형의 독서

코스모스 저는 마음껏 사유할 거리를 던져주는 책을 좋아해요. 저는 MBTI 주기능이 N형이에요. 그래서 상징적인 것과 문장 속 의미를 찾는 것을 좋아해요. 어린 시절에는 가족이 모두 S형이라서 제가 상징적이고 비유적인 이야기를 하면 가족들은 엉뚱하고 비현실적인 이야기를 한다고들 했어요. 그래서 나는 이상한 사람인 것 같다는 생각마저 들었어요. 그런데 MBTI를 공부하며, 그냥 다르다는 것을 알게 되었죠. 이 책은 N형이 좋아할 책 같아요. 상징들과 사유들이 가득 담겨있죠. 그것들의 숨은 의미를 해석해 보는 것은 제게는 즐거운 일이고, 하나같이 공감 가는 문장들이었어요.

수국 정말요?

코스모스 저는 프리지아님 말씀하신 그 부분에서도 표현이 예술
이라는 생각이 들었어요. 산고를 겪는 자궁은 수축과
이완을 반복하잖아요. 모임에 있을 때 그녀는 주로 긴
장 상태였지만, 한편으로는 흥미로운 소재가 있기도 했
을 것 같아요. 모임에 있는 것 자체가 고통스러움을 동
반하지만, 꼭 필요하기도 하고, 그것에서 벗어날 때는
개운한 느낌마저 들죠. 그녀가 모임에서 이방인 같은
존재로 섞이지 못하고 오히려 부담을 느끼고 있음을
표현한 것 같아요.

> *마치 산고를 겪고 있는 자궁처럼, 어수선하게 한 덩어리가*
> *되어 무의식적인 경련을 동반한 이완과 수축을 반복하며,*
> *살아 숨 쉬고 있는 고깃덩이와 유사한 무리로부터 그녀가*
> *벗어났던 그 순간: - P.31*

프리지아 아~~~

코스모스 저는 책의 모든 페이지를 거의 접다시피 했어요. 그 상
징들과 사유의 문장들이 너무 좋아서 필사하고 싶다는
생각마저 들었거든요.

프리지아 맞아요. 코스모스님 이전에 <설국>을 읽었을 때도 필
사하고 싶다고 하셨었어요.

코스모스 한 문장 안에 상징이라는 도구로 이렇게 많은 의미를
담아낼 수 있다는 것이 저는 참 감탄스러워요. 저는 N
형이라서 그런 것 같기도 해요. 반면에 S형은 현실적인
섬세한 묘사를 좋아하죠. 눈앞에 그려지는 듯한 풍경과
명확하게 오감으로 느껴지는 표현들이 와닿죠. <노인과

바다> 헤밍웨이가 ISFP라고 추정되는데, 눈앞에 그려지는 상황과 감정 묘사들이 인상적인 책이죠. 헤르만 헤세 <데미안>은 상징들이 많아서 싱클레어가 나중에 데미안 엄마를 사랑하고, 데미안과 동일시 되는 것들이 S형은 난해하게 느껴질 수 있죠. 서로 정보를 인식하는 방법들이 달라서 이렇게 다르게 느끼는 거죠.

수선화 아~~ 그럴 수도 있겠군요.

코스모스 N형과 S형 말고도, J형과 P형이 좋아하는 자기계발서가 있죠. J형은 좀 더 체계적이고, 촘촘한 플랜을 세울 수 있는 자기계발서를 선호하는 반면, P형은 큰 계획을 세우고 세부적인 것들에 좀 더 융통성을 발휘할 수 있도록 돕는 자기계발서를 선호하죠. 물론, 보편적인 유형 차이가 그렇고, 개인차가 있어요.

책 속 상징에 대하여

코스모스 저는 책의 앞부분부터 문장이 너무 좋았어요.

> *우리는 항상 무언가 해명하고 변명한다. 해명할 수 없는 현상과 감정의 복합체인 삶조차도 우리에게 해명을 요구한다. 우리를 에워싸고 있는 모든 것들이 해명을 요구한다. 그리고 마침내 우리 스스로도 우리 자신에게 해명을 요구한다. - P.10*

프리지아 무슨 의미예요? (웃음)

코스모스 우리의 감정이나 성향은 자연스러운 것이에요. 분노, 시기도 당연히 발생하는 감정이죠. 하지만 우리는 그런 감정도 해명하려 해요. 그냥 그 감정이 드는 것뿐인데도요. 그 감정이 드는 것은 잘못이 아니고, 그것을 어떻게 표출하고 행동하는지가 중요하죠. 성격도 마찬가지예요. 그냥 태어날 때부터 예민한 기질이 있을 수 있죠. 그런데 이런 성격을 자꾸 해명하고 변명해야 하고, 그것이 지쳐서 점점 무너지기도 하죠.

수국   그럴 수 있겠네요. 저는 책을 읽으며 그런 생각을 했어요. 그가 말해요. "아우슈비츠를 다녀오지 않아서 그래."라고요. 물론 아우슈비츠를 경험한 것은 상상할 수 없는 고통이 따름을 알아요. 삶의 고통 수준이 천지 차이라는 것도 알겠어요. 감히 넘볼 수 없는 수준이죠. 하지만 그런 고통을 가진 이가 결혼을 해서 계속 이렇게 아내에게 고통을 호소하는 행위는 이기적인 것 같다는 생각도 들었어요. 그는 어쩌면 결혼하면 안 되는 사람 아닌가 하는 생각도 했어요.

코스모스   저는 그런 생각을 한 적이 있어요. 선한 이들에게는 더 불행한 사람이 '갑'이 된다고요. 선한 마음을 가지고 있어서 상대가 더 불행하니 봐주게 되고, 양보해야만 할 것 같고, 요구하는 것이 있으면 들어줘야 한다는 생각에 사로잡히고는 하죠. 그리고 그 배려를 당연하다는 듯이 받는 이들이 있어요. 하지만 선한 배려는 고마운 일이지 당연하게 요구해도 되는 것은 아니에요. 누구나 자신만의 불행과 아픔과 상황이 있어요. 그런데 그 불행을 저울질해서 더 불행하니 봐주라는 건 이기적이죠. 수국님 말씀하신 것처럼 "아우슈비츠를 다녀오지 않아서 그래."라는 식의 말이나 행동, 생각이 그래요. 물론 그의 불행은 상상할 수 없을 정도로 끔찍하고, 안타까운 일이죠. 하지만 아내가 그 경험을 하지 않았고, 그를 구원하고 싶은 마음을 가졌다고 해서, 자기 말을 계속 들어주고 이해해 주기만을 바라죠. 자신은 상대를 배려하지 않은 채 상대만 자신을 이해하고 봐 주기만을 바라는 것도 일종의 폭력이죠.

마치 가해자가 피해자를 대하는 방식이었다고, 나의 아내가 말했다. 그녀는 내가 나의 영혼으로 자신을 때려눕혔다고 말했다, 그런 다음 자신에게서 동정심을 일깨웠고, 자신의 동정심을 일깨운 후에는, 내가 자신을 나의 청중으로, 잔인한 내 어린 시절과 끔찍한 나의 이야기를 들어 줄 청중으로 만들었다고, 말했다. - P.166

프리지아   그럴 수 있겠네요.

코스모스   그리고 한 편으로는 그런 생각도 들었어요. 최진영 작가 <이제야 언니에게>에서 주인공은 숙부에게 성폭행을 당해요. 사회에서는 오히려 성폭행을 당한 주인공에게 손가락질하죠. 창피한 줄 모르고 경찰에 신고하고, 동네가 다 알도록 일을 키웠다고요. 행실을 어떻게 했으면 이런 일을 다 당하느냐며 비난의 화살은 그녀에게 향하죠. 정작 잘못한 것은 숙부인데요. 주인공은 성폭행을 당했다는 사실과 주변의 시선과 반응, 그것들로부터 생겨난 자신을 향한 원망을 품고 고통의 시간을 보내요. 정작 죄를 지은 숙부는 떵떵거리며 잘 살고요. 참 안타깝고, 화나고, 잘못된 일이죠. 벌은 가해자가 받아야 해요. <태어나지 않은 아이를 위한 기도>에서 화자는 사회적으로 가해자가 아니라 피해자죠. 그는 이해받아 마땅하고, 인간답게 살 권리가 있죠. 고통 속에 허우적대게 된 것은 그의 잘못은 아니니까요. 그가 자신도 모르게 자신의 고통을 전이시킨 것은 안타깝고, 잘못이지만, 그도 결혼하고 아픔을 토로할 권리는 있죠. 늘 어떤 상황 속에서 가해자와 피해자를 잘 구분해서 마땅한 대우를 해 줘야겠다는 생각이 들어요.

수선화 정말 이 소설이 난해하고, 어렵게만 느껴졌는데, 코스모스님 이야기를 들어보니 이렇게 생각할 수도 있겠다는 생각이 들어요. 왠지 신기하고, 정말 다르네요.

책수다 소감

수선화 오늘은 다른 분들 감상이 궁금하고, 책을 선정한 사람으로서 조마조마한 생각도 들었는데, 이야기를 나누니 책의 의미를 조금은 알 수 있게 된 것 같아요.

수국 저도 함께 이야기를 나누는 게 정말 좋다는 것을 다시 한번 느꼈어요.

프리지아 저도 그냥 어렵고 이해하기 힘들 것 같다는 생각으로 오늘 시간을 시작했는데, 역시 너무 좋네요.

코스모스 저는 좋은 책을 추천받아서 덕분에 뭔가 해소된 시간이었어요. 좋은 책을 알게 해 주셔서 감사드려요.

지금까지 S형 수선화, 수국, 프리지아, 극 N형 코스모스였습니다.

4. 나의 추악한 마음 마주하기
- 메리 셸리 <프랑켄슈타인>

(1) <프랑켄슈타인> 수국의 책 이야기

평평한 초록색 머리, 머리와 목에 굵은 볼트를 박은 거대한 괴물, 책을 읽기 전까지 내가 알고 있던 프랑켄슈타인이었다. 책에서의 괴물은 2.5미터 키에 누런 살갗 아래 근육과 혈관이 비치고 윤기 나는 흑발에 진주처럼 흰 이빨을 가졌다. 이 괴물을 만든 박사의 이름이 빅토르 프랑켄슈타인이다.

<프랑켄슈타인>은 메리 셸리가 1818년에 출간한 고전 공포 소설로, 현대 공상과학(SF)의 기원으로 평가받는 작품이다. 이 책은 과학과 인간성의 관계에 대한 깊이 있는 논의를 촉발했고 단순한 공포 소설을 넘어 존재의 복잡성을 이야기하는 작품으로 자리매김했다.

이야기는 북극 탐험가 로버트 월턴의 편지로 시작된다. 월턴은 얼어붙은 바다에서 혼자 떠도는 빅토르 프랑켄슈타인을 구조하고, 빅토르는 자신의 비극적인 이야기를 들려준다. 젊은 과학자 빅토르는 생명을 창조하려는 야망에 사로잡혀 시체의 부위를 조합해 생명체를 만들어 낸다. 그러나 그는 창조물의 흉측한 외모에 충격을 받고 도망친다. 홀로 남겨진 괴물은 세상에 적응하려 하지만 사람들에게 거부당해 외로움과 분노에 사로잡힌다. 결국, 창조주에게 복수를 결심하고 빅토르의 주변

사람들을 하나씩 죽이기 시작한다. 이에 분노한 빅토르는 괴물을 추격하지만, 북극의 황량한 벌판에서 힘이 다해 쓰러진다. 이야기는 월턴의 편지로 돌아가, 빅토르의 죽음을 목격한 기록으로 끝난다.

> 처음 공감을 구했을 때는 미덕에 대한 사랑에서, 내 온몸과 마음에서 흘러넘치던 행복과 사랑의 감정에서, 동참하고 싶은 마음에서 그랬다. 그러나 이제, 그때의 미덕은 내게 그림자에 불과한 것이 되었고 행복과 애정은 쓰라리고 혐오스러운 절망으로 변해버렸으니, 이제 내가 무엇에 대한 공감을 구할까? *(중략)* 나는 철저히 혼자다. *(중략)* 여전히 사랑과 우정을 갈구했지만 계속 거절당했다. 그런데 이것이 부당하지 않은가? 전 인류가 내게 죄를 지었는데, 나만 유일한 범죄자라는 멍에를 써야 하는가? - P.300

프랑켄슈타인은 순수했던 존재가 타락해 가는 모습을 보여준다. 프랑켄슈타인과 괴물의 관계를 보면 괴물을 단순한 피해자로 볼 수 있지만, 그의 행동은 정당화될 수 없다. 대부분 피해자는 괴물의 탄생 과정이나 비극적 진실을 알지 못했다. 그들은 괴물의 흉측한 외모만을 보고 적대감을 품었고, 결국 괴물의 복수심의 희생양이 되었다. 피해자들에게는 괴물의 불쌍한 사연이 중요하지 않았다. 그들은 하나뿐인 생명과 사랑하는 사람들을 잃었다.

괴물은 복수라는 이름 아래 악행을 저지르며 진짜 괴물이 된다. 그러나 마지막에 이를 진심으로 괴로워하고 후회하는 모습을 보면, 그는 끝까지 인간으로서의 마음을 잃지 않았다.

프랑켄슈타인은 과학 연구와 창조 욕망, 그에 따른 윤리적 책임을 다루며 과학이 인간의 삶에 미치는 영향을 경고한다. 빅토르의 비극을 통해 인간의 오만함과 무책임이 가져올 파괴적인 결과를 보여준다. 또한 괴물의 고독과 고통을 통해 인간이란 무엇인지, 인간성의 본질과 사회적 소외를 성찰하게 한다.

이 책은 과학과 윤리, 인간의 본성에 대해 깊이 있는 이야기를 하며 오늘날까지도 우리에게 많은 영감을 준다. 또한 공포와 철학적 사색의 조화로 새로운 형태의 고전으로 자리매김했다.

<프랑켄슈타인>은 과학과 인간의 이면을 다룬다는 측면에서 19세기뿐 아니라 오늘날에도 유효하고 현실적인 이야기이다.

(2) <프랑켄슈타인> 책수다 이야기

책에 대한 감상

코스모스 이 책이 이런 내용인 줄 정말 몰랐어요. 왜 이렇게 무서워요? 그리고 저는 처음에 책을 잘못 산 줄 알았어요. 앞부분에 편지가 오가고, 뭔가 다른 이야기를 해서요. '내가 알던 그 프랑켄슈타인이 맞나?' 하는 생각이 들었어요. 그리고 이 책 표지도 너무 무섭지 않아요? 자세히 보면 작은 문 앞이랑 난간 위에 괴물이 서 있어요. 무서워요.

프리지아 <프랑켄슈타인> 소설을 쓸 때 메리 셸리의 나이가 18

살이었데요. 정말 대단하지 않아요? 1800년대에 지금처럼 다양한 콘텐츠들이 많을 때도 아니고, 어떻게 이런 상상력과 문학성으로 글을 쓴 건지 정말 천재 같아요.

코스모스　와~~ 정말요? 18살이요? 진짜 천재네요. 말씀하신 것처럼 이 책은 묘사와 상징들이 감탄을 자아낼 정도 잖아요. MBTI의 N형과 S형이 모두 좋아할 책이 이 책인 것 같아요. 섬세한 묘사들 덕분에 책 속 괴물에게 안쓰러운 마음, 공포스러운 마음의 이중감정이 모두 들 수 있어요.

프리지아　저는 괴물이 너무 안쓰러웠어요. 마음은 인간과 다를 것이 없는데, 외모만으로 사람들에게 몽둥이질을 당하고, 함께 할 누군가가 없잖아요.

코스모스　안쓰럽긴 한데, 너무 섬뜩해요. 우리가 알던 그 캐릭터가 아니잖아요. 외형 묘사를 읽으니 정말 보기만 해도 공포감을 자아낼 괴물 그 자체의 모습을 하고 있어요.

프리지아　저는 2권까지밖에 못 읽었어요. 괴물이 자기 이야기를 하는 부분이요. 오두막에 사는 가족들의 기쁨과 슬픔을 보며 공감하고, 동경하며, 함께 하고 싶어 하잖아요. 그러다가 용기를 내어 모습을 드러냈는데, 몽둥이질을 당하고 쫓겨나죠. 그리고 프랑켄슈타인 박사에게 반려자를 만들어 달라고 하잖아요. 너무 안쓰러워요.

코스모스　정말 딱 괴물이 안쓰러워지는 부분까지 보셨어요. 그이후에 3권부터는 괴물이 프랑켄슈타인 박사에게 복수하는 내용이에요. 다 죽이잖아요. 친구도 죽이고, 아내도 죽이고, 그 때문에 아버지도 죽고…. 어디서 나타난 줄도 모르게 갑자기 나타나서 다 죽여요. 이 괴물이.

프리지아 아~ 정말요? 다 죽어요? 반려자는 어떻게 되었어요?

코스모스 프랑켄슈타인 박사가 반려자를 만들다가, 이건 아니다 싶어서 갈가리 찢어버려요. 그때 괴물이 나타나서 말하죠. "네 놈의 결혼식 날 밤, 내가 함께 있겠다."

프리지아 정말요? 근데 그래도 프랑켄슈타인 박사가 너무 나쁜 것 같아요. 본인이 만들었잖아요. 자신이 광기에 휩싸여서 만들어 놓고, 이렇게까지 거부하고, 폭언을 일삼고, 공포의 대상으로 피하고, 이건 너무 무책임하고, 잔인한 행동들이죠.

코스모스 프리지아님 지금 화나신 것 같은데요? (웃음)

프리지아 네~ 저 화났어요! 프랑켄슈타인 박사가 너무 책임감이 없어요. 괴물이 너무 불쌍해요.

수선화 저는 이번 주에 일정이 너무 많아서 책을 못 읽었어요. 줄거리만 대충 파악하고 왔어요. 리뷰 내용은 흥미진진한 애니메이션 같은 느낌이 들었어요. 그런데 지금 들어보니, 표현이 생각보다 무섭네요.

코스모스 1권은 배경 설명이고, 프랑켄슈타인 박사가 괴물을 만들어 놓고 혼자 공포에 떠는 내용이에요. 그리고 2권부터가 진짜 재밌어요. 완전 흥미진진해요.

만약 괴물에게 반려자를 만들어줬다면?

프리지아 저는 그런 생각을 했어요. 만약 프랑켄슈타인이 괴물에게 반려자를 만들어줬으면 어땠을까요? 괴물은 정말 반려자와 함께 인간세계에서 떨어져서 복수 따위는 하지 않고, 평화롭게 살았을까요?

코스모스   저도 '나라면 반려자를 만들어줬을까?' 하는 생각을 했어요. '만들어줬으면 프랑켄슈타인 박사의 아무 죄도 없는 아내와 친구는 살지 않았을까?' 생각했죠. 그런데 생각해 보면, 반려자를 만들었다면 반려자의 존재 이유가 괴물의 외로움을 달래기 위함이잖아요. 그 탄생의 이유가 너무 안타까워요. 마치 나의 병을 고치기 위해 클론을 만든 것과 같죠. 생명의 존재 이유가 누군가를 위한 도구라면, 그때부터 상황은 비틀어져요. 그리고 죽은 생명을 재탄생시키는 행위는 순리를 거스르는 일이잖아요. 순리를 거스르는 행위는 더 깊이 생각해야 할 부분인 것 같아요. 괴물의 외모가 문제가 아니라 존재 자체가 순리에 어긋나는 탄생이었죠. 우주의 질서에 어긋나는 일 같아서, 괴물에게는 안타깝지만, 더는 이런 일은 일어나지 않는 것이 좋을 듯해요. 그것은 한 인간의 손에 의해 벌어질 일은 절대 아니죠.

프리지아   음…. 그럴 수 있겠네요.

코스모스   그리고 반려자가 창조되어도 그 자신은 존재하고 싶지 않을 수 있고, 괴물을 사랑하지 않을 수도 있어요. 그래서 반려자가 도망가면 괴물은 더 분노해서 사람을 죽일 수도 있어요. 그리고 반려자도 본인의 존재를 한탄하며 프랑켄슈타인 박사를 원망하고 더 잔인해질 수 있죠. 또 반려자가 다른 괴물 남자를 만들어달라고 협박할 수도 있어요. 괴물 남자는 또 다른 괴물 여자를 만들어달라고 협박할 수도 있고요.

네송이 (빵터짐!) 그럴 수도 있겠군요! (웃음)

수국 책 속에도 그런 이야기가 있잖아요. 프랑켄슈타인이 괴물의 반려자를 만들면서 고민하죠. 괴물이 반려자를 만나 아이를 낳으면 어떻게 하지? 하고요. 그런데 '그 시대에 아이를 낳을 신체 구조까지 만들 수 있는 정도였을까?' 하는 생각도 들었어요.

네송이 (빵터짐!) 그렇네요! (웃음)

수국 어쩌면 프랑켄슈타인 박사가 반려자를 만들어 주지는 못할지라도 자신이 창조한 생명이니, 책임지고 공감하며 달래줬어야 했어요. 괴물은 어쩌면 프랑켄슈타인보다 더 인간을 사랑하는, 그보다 더 인간적인 존재 같아요. 그런 괴물을 좌절과 절망에 세워놓은 것은 프랑켄슈타인 박사이고, 다른 사람들은 외모만 보고 그를 판단하며 인간 밖으로 내몰았죠.

코스모스 맞아요. 저도 그런 생각이 들었어요. 프랑켄슈타인 박사는 새로운 반려자는 만들어주지 말고, 그를 품어주고, 이해해 줬어야 했어요. 괴물이 원하는 것은 비슷한 한 여자라기보다는 그저 자신을 이해해 주고 대화를 나눠 줄 단 한 명의 인간이었던 것 같아요. 프랑켄슈타인이 그런 존재가 되어줬어야 해요. 그가 창조했으니, 책임을 져야죠.

프리지아 저는 영화 '아이로봇'을 좋아해서 여러 번 봤는데요. 로봇이 시중을 들며, 인간 곁에 존재해요. 인간 역시, 그런 로봇들의 시중을 너무 당연하게 여기죠. 그러던 어느날 로봇 창시자가 자살을 하게 되는데, 경찰인 주인공은 절대 자살이 아니라고 생각하고 로봇들을 조사하기 시작하죠. 그 후로 그저 시중만 들던 로봇들이 공격적으로 변하며 영화가 점점 흥미진진해져요. 이 소설을 읽으며 그 영화가 생각났어요.

수선화 '터미네이터'도 이 소설을 모티브로 했다고 해요. 그리고 많은 영화와 소설들이 이 소설에서 영감을 받아서 이야기가 펼쳐졌다고 해요.

코스모스 그럴만한 것 같아요. 현대에는 로봇이 소설 속 괴물과 같은 존재죠. 인간이 인간처럼 창조했지만, 공포의 대상으로 다가오기도 하는 존재죠. 그리고 클론의 존재도 그래요. 인간이 도구화해서 창조한 존재죠. 이런 명확한 존재가 아니어도, 우리 사회 속 악인에 대해서도 이 소설을 읽으며 생각해 볼 수 있어요. 악인은 사회에서 사라져야 마땅한가, 악인을 죽이는 것이 정의인가 하는 것들이요. <죄와 벌>에서는 라스콜니코프가 사회에 악영향을 주는 노파를 죽이는 것이 정의인가 하는 고민을 하죠. 악인을 죽이는 사람은 악인이 아닌 걸까요? <프랑켄슈타인>은 다양하게 화두를 던지는 스토리와 문장들을 담고 있어서 정말 대단한 소설 같아요.

프리지아   정말 다시 느끼지만, 천재 같아요.

코스모스   그리고 뉴스에 나오는 아이를 낳아놓고, 자신의 아이를 원망하고, 멸시하며, 학대하는 부모들이 있잖아요. 말 그대로 자신이 낳은 아이를 괴물처럼 대하고 거부하는 부모들이요. 그런 부모들도 생각나는 소설이었어요.

괴물이 불쌍하다 vs 괴물은 무섭다

수국   저는 괴물이 가장 인간다웠고, 약자처럼 느껴졌어요. 그리고 '그는 왜 이렇게까지 살고 싶고 인간과 연결되고 싶을까?' 하는 생각이 들어 더 안쓰러워요. 계속 인간과 유대를 쌓고 싶어 하는데, 인간이 그를 외모만으로 판단하고 거부하고, 폭력을 행세하며 내쫓았잖아요. '그런 괴물이 나쁜 것일까? 그를 창조해 놓고, 그의 존재 자체를 사회악으로 여기며 공포감을 느끼고, 도망가고, 폭언을 일삼는 프랑켄슈타인 박사가 나쁜 것일까?' 그런 생각이 들었어요.

코스모스   괴물이 안쓰러운 것은 사실이에요. 프랑켄슈타인은 무책임하고, 나쁜 사람인 것이 맞아요. 프랑켄슈타인 박사는 그를 창조했으니, 그를 품어줘야 했어요. 하지만 괴물이 살인을 저지른 순간 그는 피해자가 아니라 가해자가 되었어요. 심지어 처음에는 실수라고 할지언정 어린아이를 죽였잖아요. 그리고 그 이야기를 너무 담담하게 하고, 이후 아무 죄도 없는 유스틴에게 목걸이를 슬쩍 집어넣어 완전히 덮어씌웠고, 결국 유스틴이 살인자로 오해를 받고 사형을 당하잖아요. 그는 결국 가해자이죠. 그리고 이후에 또 아무 죄 없는 프랑켄슈타인의 친구와 아내를 죽이죠. 살인을 저지르는 순간 이미 가해자임은 분명해요. 물론 안타깝기는 해요. 범죄를 저지르는 이들은 어린 시절 학대를 당하거나, 불우한 환경에서 자라온 경우가 많죠. '그럴 때 누군가가 곁에서 한 번 더 이야기를 들어줬으면 어땠을까? 조금 더 이해해 주고, 보살펴주면 어땠을까?' 하는 생각이 드는 것은 사실이죠. 소설 속 괴물처럼요.

프리지아 저는 처음에는 괴물이 너무 불쌍했는데, 지금 마음이 바뀌었어요. 괴물은 결국 괴물이란 생각이 드네요. 많은 사람이 안타까운 사연을 안고 살아가요. 그런데 그런 기구한 사연이 있다고 모두가 살인을 저지르지는 않죠. 살인을 저지르는 것은 자신의 선택이었어요. 소설 속 괴물 역시 그런 선택을 한 것은 분명 잘못되었고, 나쁜 일임이 틀림없어요.

네송이 (빵터짐!) 프리지아님 웃겨요.

나는 불편함을 감수하고, 사회적 약자의 편에 들 수 있을까?

수국 저는 소설을 보며 사회적 약자에 대해 생각했어요. 이전에 장애인분들이 지하철 문 앞에서 30분~1시간을 가로막아 사람들이 불편을 토로했던 일이 있었어요. 출근 시간이라서 사람들이 너무 불편해했죠. 출근 시간이면 1분 1초가 급하잖아요. 그래서 그런 생각이 들었어요. 부당한 대우를 받는 사회적 약자를 보며 안타까운 마음이

들 수는 있지만, 그것이 직접적으로 나에게 불편함을 준다면, 과연 나는 화내지 않고, 참으며, 그들의 행보를 지지할 수 있을지 모르겠다고요. 그런데 이후 그 장애인분의 인터뷰 영상을 봤는데, 그분이 말씀하셨어요. 그들의 이야기를 정말 아무도 안 들어줬다고요. 많은 사람이 지하철에서 이동 중에 죽고 다치는 동안 수없이 이야기했는데, 정말 한 사람도 안 들어줬데요. 그 영상을 보며 많이 울었던 기억이 있어요. 그래도 '내 불편감을 감수하며, 그들의 편이 될 수 있을까?' 하는 생각은 여전히 남아 있어요. 그런데 그 사람을 보며 온라인 카페에서 엄청나게 항의하고, 분노를 표현하며 입에 담지 못할 말들이 오가더라고요. 너무 안타까웠어요.

코스모스 저는 육아휴직을 쓰는 것에 대해 그런 생각을 한 적이 있어요. 중소기업의 경우 육아휴직을 쓰면, 그 자리에 누군가를 채용하기보다는 업무를 분담해서 남은 사람들이 일하는 경우가 많잖아요. 임시직으로 채용한다고 해도 채용되기까지는 남은 직원들의 몫이죠. 하지만 육아휴직이 필요한 것은 분명하잖아요. 그런데 남은 직원들이 심지어 여자고, 아이를 낳고, 키워본 경험이 있었을지라도 자기 일이 많아지니, 육아휴직을 쓰는 사람에게 핀잔을 주고, 비난하는 경우가 있죠. 그것은 빠르게 대처하지 못한 기업의 잘못이지, 육아휴직을 쓴 개인은 비난받을 이유가 없어요. 화살의 방향이 잘못되었죠. 우리가 지금 당장 사회적 약자가 아니더라도, 언제든 그런 부당한 시선과 대우를 받을 수 있어요. 그러니 우리는 그것에 대해 중심을 지키고 생각을 바로잡을 필요가 있는 것 같아요.

수선화 맞아요. 그렇긴 해요. 그래도 저는 '출근하는 지하철 앞에서 저렇게 출퇴근을 방해하며, 시위한다면 화를 안낼 수 있을까?' 하는 의문엔 답변 못 할 것 같아요.

코스모스 물론 화가 날 수 있어요. 나의 출근도 중요하잖아요. 지각하는 것은 여러모로 불편한 일이죠. 그래서 짜증이 나고 원망하는 마음이 들 수도 있어요. 하지만 그것을 자신의 처지만 생각하며 비난과 욕을 일삼는 행동으로 표출하는 것은 이기적이고, 하지 말아야 할 행동이라고 생각해요. 불편한 감정은 당연한 것이에요. 하지만 중요한 것은 그것을 어떻게 행동으로 옮기고 표출하는가이죠.

책수다 소감

수선화 결국 이 소설은 인간의 외로움에 대해 조명한 소설 같아요. 인간의 외로움은 끝이 없고, 인간이 외로우면 이렇게까지 집착으로 이어질 수 있다는 것을 느낄 수 있었어요.

수국 맞아요. 괴물은 사랑받고 싶고, 연결되고 싶은 관계에 대한 집착으로 상처가 가중되고 복수의 칼날을 갈았죠.

코스모스 복수하기 위해 프랑켄슈타인이 괴물을 쫓아가는 부분은 왠지 '나 잡아봐라~~' 하는 느낌이었어요. 괴물은 그가 쫓아오는 그 과정을 통해 외로움을 해소하는 느낌마저 들었어요. 심지어 중간에 체력이 부족하면 먹으라고 토끼도 잡아놓겠다고 하잖아요. 그거 먹고 쫓아오라고. (웃음)

수국	맞아요. 괴물과 창조주 사이에서 어떤 미묘한 소속감 같은 것이 느껴졌어요.
프리지아	저는 이 책을 읽을 때는 괴물이 굉장히 안쓰럽게 느껴지다가 오늘 대화를 통해 괴물도 나빴다고 생각을 정리하게 되었어요.
코스모스	프리지아님의 반응이 너무 재미있었어요. (웃음) 프리지아님께서 갈수록 막 웃기시네요! (웃음) 그리고 제가 뉴스, 신문 기사도 잘 못 보는데, 수국님 덕분에 사회 이슈를 알고 생각해 볼 수 있어서 좋았어요. 지나칠 수 있는데, 이렇게 사색해 보고, 생각을 나눠주셔서 감사합니다.

지금까지 점점 더 웃겨지는 프리지아, 의미 있는 발문을 던진 수국, 인간의 외로움을 알아차린 수선화, 육아휴직이 중요한 코스모스였습니다.

Interview 4. 책 vs 책 · 드라마 · 영화

1. 코스모스(책 vs 책)

<삶의 한가운데> vs <브람스를 좋아하세요…> 두 소설은 주인공의 사랑과 삶에 태도를 비교하는 재미가 있다.

<삶의 한가운데>의 니나 곁에는 일생을 바쳐 그녀를 사랑하는 슈타인이 있다. 그는 니나를 지독하게 사랑하지만, 그녀가 자유롭게 살아야 함을 알고 보내준 후 그녀를 위해 일생을 헌신한다. 니나는 그에게 당연하듯 과한 것을 요구하고, 그는 기꺼이 그 요구를 들어준다. 슈타인은 말 그대로 호구였다. 반면 <브람스를 좋아하세요…>의 폴은 오랜 연인 로제에게 매번 뒷전이다. 로제는 바람을 피웠고, 자기중심적이다. 그러다 폴에게 잘생긴 연하남 시몽이 다가오며 그녀는 달라지는 듯했지만, 결국 다시 로제에게 돌아가 호구 역할을 자초한다.

두 소설 모두 주인공의 행동이 이해가지 않았다. 니나는 과하고, 폴은 부족하다. 니나는 얄미웠고, 폴은 미련하다. 니나는 경솔했고, 폴은 안주했다. 그리고 둘은 우리처럼 사랑과 삶에 서툴렀다. 그들의 다른 사랑과 삶에 대한 태도가 흥미로웠다.

2. 프리지아(책 vs 영화)

유일하게 영화까지 챙겨 본 책이 바로 <오만과 편견>이다. 이 책은 무려 500페이지가 넘는 벽돌 책으로 주인공들의 서사가 정말 길어서 책을 딱 중간까지 읽고 답답함이 몰려와 영화로 먼저 결말을 봤다.

키이라 나이틀리가 엘리자베스역을 맡았는데 책을 읽으며 상상했던 엘리자베스와 너무 닮아서 더 몰입해서 영화를 볼 수 있었다. 남자 주인공 다아시의 외모가 상상하는 것과 달라 조금 실망하긴 했지만, 매튜 맥퍼딘 배우가 표현에 서툴지만, 진심 어린 다아시의 모습을 너무 잘 보여줘서 영화 마지막으로 갈수록 잘 생겨 보이는 효과가 있었다.

영화는 책보다 생략된 장면들이 많아 아쉬움이 있었지만, 개인적으로는 영화가 책의 줄거리와 인물관계를 이해하는 데에 도움이 되었다. 또 키이라 나이틀리가 엘리자베스와 너무 잘 어울려서 그녀를 상상하며 읽으니, 오히려 몰입이 잘 되었다.

3. 수선화(책 vs 드라마)

햄릿의 삼촌 클라우디우스가 햄릿의 아버지인 선왕을 독살한다. 그 후 삼촌인 클라우디우스는 왕위에 오름과 동시에 햄릿의 어머니인 거투르드와 결혼한다. 동생에게 독살당해 원한이 가득한 나머지 선왕의 혼령은 유령으로 나타나 자신의 억울한 죽음을 충신과 햄릿에게 알리는 것으로 햄릿의 복수는 시작된다.

클라우디우스의 왕위에 오르고자 하는 잘못된 욕망으로 인한 비극. 그리고 그 비극으로 인해 주요 등장인물 6명이 죽음에 이른다. 파국의 끝판왕 <햄릿>.

SBS 드라마 '펜트하우스'는 재력가들이 사는 펜트하우스를 배경으로 한 인간의 채울 수 없는 욕망의 끝을 보여준 드라마다. 펜트하우스에 사는 재력가와 그들의 자식들 모두 서로 친한 것처럼 보이지만, 서로를 시기, 질투하고 모함과 복수로 치닫는 막장 드라마의 대명사 '펜트하우스'. 어제의 친구가 오늘의 적이 되고 서로를 죽이고 죽는 허무맹랑한 복수극이다. 두 작품 모두 잘못된 욕망이 부른 복수극이라는 공통점이 있다.

4. 수국(책 vs 책)

고전 중의 고전, 고전의 아버지 헤르만 헤세의 책, <데미
안>과 <싯다르타>. 이 두 책을 읽다 보면 '헤세는 자기 내면
을 찾기 위해 무던히 고민했구나. 그걸 문학으로 표현하기 위
해 또 얼마나 애를 썼을까?' 싶다.

<데미안>의 싱클레어, <싯다르타>의 싯다르타는 모두 진정
한 나를 찾아 나선다. <데미안>에서 싱클레어는 데미안의 도
움을 받아 내면의 변화를 겪으며 성장한다. 싯다르타 역시 주
변의 도움을 받지만, 다양한 선택을 하고, 많은 경험을 하며
스스로 깨우쳐야 함을 알게 되고 진정한 깨달음을 얻게 된다.

개인적으로 헤세는 <싯다르타>를 통해 고민하던 부분을 일
정 부분 완성하여 세상에 내놓았다고 생각한다. 미완성 느낌
의 <데미안>은 존재 자체로 아름다우며 사랑스럽고 <싯다르
타>는 완성본이 가지는 귀중함과 고귀한 아름다움이 있다. 두
권을 읽고 헤세가 생각하는 진정한 나를 만나는 법이 더욱 깊
이 알고 싶어져 '저자 직강이 있으면 얼마나 좋을까?' 혼자
생각하고 웃었다.

고전이 꽃피는 독서모임
네송이의 책수다

PART 5

고전으로
다시 피어난
네송이

Part 5. 고전으로 다시 피어난 네송이

1. 고전은 독서모임으로 완성된다는 코스모스

호기심 반, 기대 반으로 시작했던 고전 독서 모임이 어느새 끝이 났다. 그리고 고전소설이 사랑받는 이유를 확실히 알게 되었다.

고전소설은 삶과 죽음, 사랑과 소외, 용기와 결단 등 인간의 내면과 삶의 의미에 대한 깊이 있는 질문들을 던진다. 고전소설은 주로 강렬하고 범상치 않는 캐릭터와 복잡한 인간관계, 다양한 관점을 선보인다. 소설 속 캐릭터들은 가끔 당혹스러울 만큼 특이한 면모를 가졌지만, 결국 공감할 것들이 있어서, 우리의 삶과 연결하게 된다. 요한 볼프강 폰 괴테 <파우스트>는 인간의 욕망과 감정에 대해 생각하게 한다. 파우스트는 존경받는 박사이자 신이 믿는 인간임에도 불구하고, 황당할 만큼 쉽게 악마에게 영혼을 팔았고, 점점 더 쉽게 파멸의 길에 접어든다. 우리는 소설을 통해 누구나 욕망에 빠질 수 있는 인간이고, 실수할 수 있는 인간임을 받아들인다. 그리고 그가 유혹에서 벗어나고 구원을 받게 되면서, 우리 또한 유혹에서 벗어나 구원받을 수 있다며, 잘못을 스스로 바로잡도록 유도한다.

또한 고전소설은 더없이 아름답고 섬세한 문체를 지녔다. 가와바타 야스나리 〈설국〉은 순수한 서정적 세계를 감각적으로 묘사한 작품으로 손꼽힌다. 특히, 소설 첫 문장은 시적이고, 우아한 문체로 독자를 미지의 세계로 이끌며 많은 이들에게 사랑 받았다. 도저히 어울리지 않을 것 같은 단어들을 조합하여 가장 적합하게 상황과 감정을 묘사하는 기술이 감탄을 자아낸다. 〈설국〉을 읽으면 눈의 고장으로 떠나 여행자의 마음으로 순수하고 열정적으로 삶을 바라보고 싶어진다.

마지막으로 고전소설은 삶의 지혜와 교훈, 영감의 원천이 담겨있다. 메리 셸리의 〈프랑켄슈타인〉의 창조와 존재에 관한 이야기는 현대 문학, 예술, 사회 전반에 창의적 영감을 제공했다. 이 소설을 기원으로 시작된 다양한 작품들은 인간다움과 생명 윤리, 선과 악에 대해 여러 관점의 사색을 유도한다.

이런 고전소설의 매력은 독서 모임을 할 때 한층 배가 된다. 혼자 읽으면 포기하고, 그냥 지나쳐버렸을 순간과 장면들을 모임원들과 함께 하니 기어이 되찾아 다시금 되새길 수 있었다. 다른 출판사 책들을 함께 보며, 번역과 해설을 비교하는 재미가 있었고, 누군가에게 최악의 책이, 누군가에게는 최고의 책으로 손꼽히는 극과 극의 감상들이 흥미로웠다. 관점의 폭이 넓고, 배경지식과 깊은 사유가 필요한 고전소설이야말로, 독서 모임이 꼭 필요한 책이라 단언해 본다. 난해하고, 불투명한 사유의 과정들을 즐겁게 함께하며, 진솔하게 생각을 나눠준 프리지아, 수선화, 수국님께 진심 어린 감사의 마음을 전한다.

2. 제대로 고전을 즐기게 된 프리지아

지난 13주, 네 송이 덕분에 고전을 제대로 즐길 수 있었다. 좋은 사람들과 좋은 책이 함께하는 시간은 1시간이지만 깊이 있게 느껴졌다. 매주 금요일 오전 1시간의 수다는 일주일을 마무리하는 시간이자, 다가올 주말을 설레게 하는 시간이 되었다. 매주 1권씩 쌓여가는 고전 책들을 바라보며 느끼는 성취감도 꽤 좋았다.

고전은 소설 속 다양한 인물들의 삶을 들여다보는 것이 매력적이다. 내가 이해하지 못하는 인물들의 삶이, 다른 사람에게는 깊은 감명을 줄 수도 있음을 깨달았다. 한없이 나쁘기만 한 주인공이 없듯이, 사람은 누구나 양면성을 가지고 있지 않다. 한없이 유약한 면이 있다면, 한없이 강한 면도 분명 가지고 있다. 중요한 것은 그것들의 균형이다. 고전 소설을 읽으며, 그 균형을 잘 잡아야겠다고 다시금 생각했다.

고전소설은 나의 삶을 돌아보게 한다. 그리고 타인의 삶을 바라보게 한다. 다양한 삶의 이야기들은 나의 내면을 더 단단하게 한다. 삶에 대해, 나 자신에 대해 궁금하다면 고전소설을 읽고 내면이 던지는 질문에 집중해 보길 바란다.

고전은 다양한 출판사의 작품을 만날 수 있어 다각적인 매력을 느낄 수 있지만, 그만큼 선택지가 많기에 어떤 출판사를 선택해야 할지 고민되기도 한다. 나는 주로 대중적인 민음사 출판사의 책을 선택했지만,

가끔 책 표지가 마음에 들거나, 작품 해설이 이색적이거나, 책의 구성이 만족스러운 출판사를 선택하기도 했다. 책수다에서는 다른 출판사의 책들을 다양하게 비교해 볼 수 있는 것이 너무 좋았다. 같은 작품이라도 다른 출판사 책의 번역이나 해석이 좋은 경우는 구매해 재독하기도 했다. 또 번역본의 한계가 있을 것 같은 작품들은 원서로 읽고 싶다는 생각도 들었다. 물론 번역본으로도 작가의 의도를 전달받을 수 있지만, 원서로 보는 느낌이 궁금했기 때문이다.

이제는 삶의 지혜가 필요할 때 고전을 꺼내 볼 수 있을 것 같아 든든하다. 아마 혼자 읽었다면 이렇게까지 고전책을 다양한 시각으로, 그리고 정확하게 읽지 못했을 것 같다. 네 송이 덕분에 12권의 고전 책을 한 권씩 모두 정독한 것 같아 어디서든 제대로 고전소설을 읽었다고 자랑할 수 있을 것 같다.

나만 다른 생각을 하더라도, 혹은 책을 잘 이해하지 못했더라도 함께 공감해주었던 네 송이 덕분에 더 많은 이야기를 표현할 수 있는 자신감을 얻었다. 이를 통해 나 역시 타인의 이야기에 귀 기울여서 다양한 의견과 생각들을 수용할 수 있는 마음의 여유가 생겼다.

짧다고 느껴졌던 13주지만 대화의 깊이와 얻게 된 에너지만큼은 오래 남을 것 같다. 우리 네 송이 덕분에 고전에 대한 편견을 깨고, 몰입해서 즐길 수 있었던 것 같다. 이른 아침 누군가와 책 이야기를 나눌 수 있었던 것에 참 많이 감사했다.

3. 고전으로 통찰력을 배운 수선화

고전에 대한 편견을 가지고 있던 나는 처음 독서 모임 참여할 당시만 해도 두려움과 발표에 대해 불안함이 있었다. 과연 내가 읽고 이해한 게 맞는 내용일지에 대해서도 계속 나를 의심했다.

원래도 책 읽는 속도가 느린 편인데 고전은 더더욱 속도가 나지 않았고, 문장 하나하나 읽고 이해하기도 쉽지 않았다. 그리고 고전을 처음 접한 나로서는 매주 한 권의 고전을 읽고 독서 모임에 참여하기란 정말 어려운 도전이었다.

한 달에 한 권 읽기도 어려운 고전을 매주 한 권씩 읽는다는 건 정말이지 큰 산 하나를 넘는 과정과도 같았다. 그래서 찾은 방법이 3가지였다. 나를 의심하지 말 것, 내용을 모두 파악하려 하지 말 것, 독서 모임에서 다른 멤버들의 이야기를 경청하는 자세로 참여할 것. 그 이후부터는 가벼운 마음으로 책수다 독서 모임에 참여할 수 있었다.

한주, 한주 지나다 보니 책 읽는 속도가 붙고, 내용을 이해하는 능력이 생기며, 조금씩 고전이 재밌어지는 신기한 경험을 할 수 있었다. 한권, 두 권 쌓여가는 고전 책을 보면서 나도 드디어 고전을 읽는다는 생각에 뿌듯함이 느껴졌다. 같은 책을 읽고 각자의 생각을 나누는 시간을 통해 우리는 조금씩 성장하고 있음을 체감할 수 있었다.

책수다 독서 모임을 통해 고전 도서를 12권을 접하다 보니 고전만의 매력을 느낄 수 있었다. 고전을 통해 사유하는 시간을 가질 수 있는 것이 고전만의 매력이 아닐까? 라고 생각했다.

책수다 독서 모임을 통해 여러 나라의 고전을 읽으며 각 나라의 시대적 배경과 사회적 문화, 그 시대만의 전통적 가치를 조금이나마 이해할 수 있었던 시간이었다. 개인적으로 여러 고전을 읽으며 아쉬운 점이 있다. 시대가 시대인 만큼 남성들의 적극적인 사회 활동에 비하면 여성의 활동이 비교적 소극적이었고 여성들의 권리가 인정받기 어려웠다는 사실이 씁쓸함으로 다가온다.

고전 도서를 읽고 이해되지 않았던 내용에 대해서는 다른 멤버들의 설명과 의견이 작품을 이해하는 데 큰 도움이 되었다. 같은 책을 읽고 각자의 다른 의견과 책에 대한 폭풍 수다를 나눌 수 있어 흥미진진한 독서 모임이었다. 책수다는 말 표현 그대로 같은 책을 읽고 부담 없이 수다를 나누는 독서 모임이었지만, 절대 가볍지 않은 고전이라는 도서를 통해 고전을 이해하고 나누는 의미 있는 시간이었다.

나에게 고전에 대한 편견을 깰 수 있었던 책수다 독서 모임. 13주 동안 함께하고 나눌 수 있어 행복한 추억으로 마무리한다.

4. 어려운 시기에 트인 대지를 만난 수국

내가 어둡고 출구가 없어 보이는 낭하를 끝없이 가고 있을 때마다 나에게 문을 열어준 것은 당신이었다고, 당신은 왔으며 당신과 함께 양지바르고 확 트인 대지가 펼쳐져 있었소. - 루이제 린저 <삶의 한가운데>

고전은 내게 어려움이 들끓던 시기에 만난 양지바르고 확 트인 대지였다. 고전을 읽는 동안은 이야기에 몰입하며, 아름답고 섬세한 문장들의 위로를 받는 시간이었다. 또한, 나의 삶을 돌아보며, 내가 좀 더 나은 사람이 되고 싶다는 생각을 하는 시간이기도 했다. 시대를 관통한 지혜로운 삶의 태도를 배우고 내 것으로 만들고 싶은 욕심이 생겼다.

처음 하는 독서 모임이라 잔뜩 긴장하고 시작했던 게 바로 얼마 전 같은데! 13주 동안 세 송이와 함께 고전을 읽으며 각자의 생각을 나누는 것이 무척이나 즐겁게 느껴졌고 언제 지났는지도 모르게 시간이 지나가 버렸다.

모임을 하기 위해 예전에는 생각지도 못했던 책을 읽고 취향에 맞지 않는 책도 꾸역꾸역 읽었다. 그 안에서 작가가 무슨 이야기를 하고 싶은지 찬찬히 살피고 나는 어떻게 생각하는지 정리를 했다. 그리고 모임을 하면서는 나와 다른 분들의 생각을 엿보고 감탄하며 깔깔 웃고 감동하고, 그 속에 내 생각을 녹여보기도 했다. 고전의 기쁨과 즐거움에 다양한 생각들과 의견들이 더해져 삶의 한 부분이 풍성해짐을 만끽한 시간이었다.

독서의 시작은 즐거움이 아닐까?

고전을 어렵다고 느끼거나, 옛날에 쓰인 책이 오늘 무슨 도움이 될까 싶은 마음에 선뜻 시작하기 힘든 경우가 많다. 그렇지만 고전은 오랫동안 살아남은 이야기다. 그런 만큼 시대와 사람을 관통하는 지혜가 있다.

편한 마음으로 취향에 맞는 책들로 시작한다면 고전이 말을 걸어오는 순간이 있다. 작가의 생각과 그 시대적 배경, 이야기가 전하는 메시지, 내 생각과의 유사점과 차이점, 배울 점 등 많은 것들을 함께 고민하고 생각할 수 있다.

오늘은 고전을 통해 시대를 꿰뚫는 즐거움과 슬픔에 푹 빠져보는 것을 어떨까. 고전소설로 깊은 위로를 받으며 삶을 통찰하는 지혜, 생각하는 힘을 가득 얻어 가시길 바란다.

Interview 5. 가장 공감되었던 문장이나 인물

1. 코스모스

<태어나지 않은 아이를 위한 기도>에서 글을 쓰는 이유와 삶에 대한 사유를 상징적으로 표현한 문장들이 인상 깊었다.

삶을 글로 쓰는 일은 삶을 물음에 던지는 일임은 명백하다. 그리고 자기 자신의 삶을 물음에 던지는 것은 오직 자신의 삶을 이루는 것들로 질식되고 있거나 어쨌든 그 안에서 기형적으로 틀어지고 있는 자뿐이다. 내가 글을 쓰는 것은 기쁨을 찾기 위함이 아님은 명백하다. 그와 반대로, 나는 나의 글쓰기로 고통을 구하고 있다. - P.120

내게 글쓰기도 기쁨을 찾기 위한 것은 아니었다. 어쩌면 틀어진 마음을 더 이성적으로 마주하기 위한 것인지 모른다. 누구나 틀어진 마음을 가진다. 나는 다른 이들과 그 마음을 함께 마주하고자 글을 쓰는 것일지 모른다.

틀어진 마음도 누군가와 함께 나눈다면, 몰래 감추고 싶은 퍼즐 한 조각이 아닌, 삶이라는 작품의 완성을 위해 꼭 필요한 조각이라고 느껴질 수 있기 때문이다. 틀어진 마음도 결국은 나의 한 부분이기에.

2. 프리지아

그리고 몇 마디 훈계의 말을 할 테니 마음에 단단히 새겨 두어라. 속마음을 함부로 입 밖에 내지 말고, 무모한 생각은 행동으로 옮기지 마라. 친구는 사귀되 저속한 무리와는 어울리지 말고, 그 친구들이 사귈 만하다고 여겨지면, 네 영혼에 쇠줄로 단단히 잡아매 두어라.

누구의 말에나 귀를 기울이되, 네 목소리는 함부로 내지 말고 모든 이의 의견을 받아들이되, 네 판단은 삼가는 게 좋다.

돈은 빌리지도 말고 빌려주지도 마라. 빚 때문에 돈도 잃고 친구도 잃게 되니까. 또 돈을 빌리다 보면 절약 정신이 무뎌지기 마련이야. 그리고 무엇보다 너 자신에게 성실해야 한다. - P.31~32

400년 전에 발표된 작품 〈햄릿〉 속에서 아버지가 아들에게 해주는 조언은 지금 들어도 와닿는 문장들이 많아 놀랐다. 아마 고전소설이 주는 이런 깨달음이 현재까지 변함없이 도움이 되기에 사람들이 고전소설을 읽는 게 아닐까?

책수다 모임 전에는 고전 책은 그저 따분한 책이라 생각했다. 하지만 햄릿을 읽으면서 이런 소설 속 고민, 상황 그리고 인물의 깨달음들이 지금의 나에게도 다양한 각도로 깊이 있는 생각을 할 수 있게 해준다는 것을 알게 되었다.

3. 수선화

루이제 린저의 작품 <삶의 한가운데> 주인공 니나. 자유를 추구하고 자신의 의견을 당당히 밝히는 니나. 하지만 다른 이 면에서 보면 직설적이고 충동적이며 자기중심적이다. 반나치즘 에 대해 자신의 의견을 소신 있게 표현하고, 살아가는 의미를 삶에 묻기보다는 스스로 찾아내야 한다는 매력적인 인물이다. 나도 자유를 추구하지만, 주어진 환경과 역할, 책임을 핑계로 그 뒤에 숨어, 나 자신의 의견을 당당히 밝히지 못했다. 그런 나로서는 니나의 행동이 매력적으로 다가올 수밖에 없었다. 나뿐만 아니라 니나의 매력에 매몰된 슈타인의 감정이 올곧이 드러난 문장에서 깊은 사랑이 느껴진다.

> *그토록 자유를 사랑하는 여자를 속박하는 것을 저해하는 분명한 감정 이 있었기 때문이라고 변명할 수도 있다. 그러나 이것은 반쯤만 사실 일 뿐이다. 속박을 두려워하는 것은, 바로 나 자신이었다. - P.372*

니나를 열렬히 사랑하지만, 자유를 사랑하는 그녀를 위해 속박하지 않는 슈타인의 마음에서 진정한 사랑의 힘이 전해졌 고 한편으로는 안타까움이 느껴진다.

4. 수국

고전의 주인공들은 대개 어려움을 이겨내고, 얻는 것이 있다. 하지만 현실의 삶은 매번 성장하고 이겨내기가 쉽지 않다. <삶의 한가운데>를 읽으며 주인공 니나의 언니 마르그레트에게 나를 자주 대입했다. 매력적이고 열정적이며 신념을 굽히지 않는 삶을 살아가는 니나와 대조되는 평범하고 안정적인 삶을 지향하는 언니. 니나를 향한 언니의 지극히 일반적인 반응은 소설의 몰입을 한층 더하게 했다.

고전을 읽으며 좋았던 문장들은 셀 수없이 많았다. 그중 인상 깊었던 부분은 <노인과 바다>의 삶의 태도에 대한 문장이다.

하지만 난 정확하게 미끼를 드리울 수 있지 (중략) 하루하루가 새로운 날이 아닌가. 물론 운이 따른다면 더 좋겠지. 하지만 나로서는 그보다는 오히려 빈틈없이 해내고 싶어. 그래야 운이 찾아올 때 그걸 받아들일 만반의 준비를 갖추고 있게 되거든. - P.34

부침 없는 인생은 없다. 그러니 어떤 상황에서도 겸손하되, 신념을 가진 단호한 태도가 궁극적인 성공이 아닐까.

🌲 독서모임 선정 도서

1. 노인과 바다, 어니스트 헤밍웨이(민음사, 2012)

2. 싯다르타, 헤르만 헤세(민음사, 2023)

3. 데미안, 헤르만 헤세(민음사, 2019)

4. 삶의 한가운데, 루이제 린저(민음사, 2023)

5. 브람스를 좋아하세요, 프랑수아즈 사강(민음사, 2024)

6. 오만과 편견, 제인 오스틴(민음사, 2023)

7. 위대한 개츠비, F.스콧 피츠제럴드(문학동네, 2022)

8. 햄릿, 윌리엄 셰익스피어(푸른숲주니어, 2019)

9. 인간실격, 다자이 오사무(민음사, 2024)

10. 호밀밭의 파수꾼, J.D.샐린저(민음사, 2023)

11. 태어나지 않은 아이를 위한 기도, 임레 케르테스(민음사, 2022)

12. 프랑켄슈타인, 메리 셸리(문학동네, 2023)

🍰 책 속의 책

1. 설국, 가와바타 야스나리(민음사, 2023)

2. 달과 6펜스, 서머싯 몸(민음사, 2000)

3. 이방인, 알베르 카뮈(민음사, 2019)

4. 파우스트, 요한 볼프강 폰 괴테(민음사, 1999)

5. 이제야 언니에게, 최진영(창비, 2019)

6. 죽음의 수용소에서, 빅터 프랭클(청아출판사, 2017)

7. 웰씽킹, 켈리 최(인플루엔셜, 2023)

8. 도시와 그 불확실한 벽, 무라카미 하루키(문학동네, 2023)

9. 우리들의 블루스 대본집, 노희경(북로그컴퍼니, 2022)

10. 리어왕, 윌리엄 셰익스피어(민음사, 2005)

11. 멕베스, 윌리엄 셰익스피어(민음사, 2004)

12. 오셀로, 윌리엄 셰익스피어(민음사, 2001)

13. 죄와 벌, 도스토옙스키(민음사, 2012)

고전이 꽃피는 독서모임(네송이의 책수다)

발　행 | 2024년 8월 2일
저　자 | 완벽한오늘, 데이지, 온니성장, 조화연
기　획 | 김지숙
편　집 | 완벽한오늘, 데이지, 온니성장, 조화연
펴낸곳 | 완벽한오늘
가　격 | 16,500원
출판사등록 | 2024.06.07.(제2024-000008호)
주　소 | 광주광역시 광산구 첨단중앙로 67번길 83
전　화 | 010-8392-0550
이메일 | Qkddf@naver.com
ISBN | 979-11-988643-0-7